中华人民共和国国家标准

安全防范工程技术标准

Technical standard for security engineering

GB 50348 - 2018

主编部门：中 华 人 民 共 和 国 公 安 部
批准部门：中华人民共和国住房和城乡建设部
施行日期：2 0 1 8 年 1 2 月 1 日

中国计划出版社

2018 北 京

中华人民共和国国家标准
安全防范工程技术标准
GB 50348-2018
☆
中国计划出版社出版发行
网址：www.jhpress.com
地址：北京市西城区木樨地北里甲11号国宏大厦C座3层
邮政编码：100038　电话：（010）63906433（发行部）
三河富华印刷包装有限公司印刷

850mm×1168mm　1/32　9印张　228千字
2018年11月第1版　2022年5月第5次印刷
☆
统一书号：155182·0355
定价：80.00元

中华人民共和国住房和城乡建设部公告

2018 年　第 84 号

住房城乡建设部关于发布国家标准《安全防范工程技术标准》的公告

现批准《安全防范工程技术标准》为国家标准，编号为 GB 50348—2018，自 2018 年 12 月 1 日起实施。其中，第 1.0.6、6.1.3、6.1.5、6.3.6(1、2、4、5)、6.3.8(2、3)、6.3.11(1、3)、6.3.12(3、4)、6.3.13(2、3、4)、6.4.3(2、3、4、5、6、7、8、14)、6.4.5(1、2、3、4、5、7、10)、6.4.7(8、11、13)、6.4.9(5)、6.4.10(1、3、4、9)、6.4.12(5、9)、6.6.2(1、2、3)、6.6.4(3、5、6)、6.6.5(1、3)、6.12.4(3)、6.13.1(4)、6.13.3(2)、6.13.4(4、5、6)、6.14.2(1、2、3、4)、6.14.3(2)、7.2.4(3、5、12)、9.1.3、11.1.5、11.1.6、11.2.7 条(款)为强制性条文，必须严格执行。原国家标准《安全防范工程技术规范》GB 50348—2004 同时废止。

本标准在住房城乡建设部门户网站(www.mohurd.gov.cn)公开，并由住房城乡建设部标准定额研究所组织中国计划出版社出版发行。

中华人民共和国住房和城乡建设部

2018 年 5 月 14 日

前言

根据住房城乡建设部《关于印发〈2015年工程建设标准规范制订、修订计划〉的通知》(建标〔2014〕189号)要求,标准编制组经广泛调查研究,认真总结实践经验,参考有关国际标准和国外先进标准,并广泛征求意见,由公安部第一研究所、公安部科技信息化局会同有关单位在《安全防范工程技术规范》GB 50348—2004的基础上修订本标准。

本标准共分12章,主要技术内容有:总则、术语、基本规定、规划、工程建设程序、工程设计、工程施工、工程监理、工程检验、工程验收、系统运行与维护、咨询服务。

本标准修订的主要技术内容是:

1. 在原标准的基础上增加了风险防范规划、系统架构规划、人力防范规划、实体防护设计以及工程建设程序、监理、运行、维护、咨询服务等内容;

2. 删除了原标准中高风险对象和普通风险对象的安全防范工程设计内容,将标准内容定位在安全防范工程建设和系统运行维护的通用要求。

本标准中黑体字标志的条文为强制性条文,必须严格执行。

本标准由住房城乡建设部负责管理和对强制性条文的解释,由公安部第一研究所负责具体技术内容的解释。在执行过程中如有需要修改和补充之处,请将意见和有关资料寄送公安部第一研究所(地址:北京市海淀区首都体育馆南路一号,邮政编码:100048,电话:010-68773938,传真:010-68773960,Email:tc100sjl@263.net),以供修订时参考。

本标准主编单位、参编单位、主要起草人和主要审查人:

主 编 单 位：公安部第一研究所
公安部科技信息化局

参 编 单 位：中国建筑标准设计研究院
公安部安全与警用电子产品质量检测中心
公安部安全防范报警系统产品质量监督检验测试中心
中国建筑设计研究院有限公司
北京中盾安全技术开发公司
北京艾克塞斯科技发展有限责任公司
北京声迅电子股份有限公司
西安北方信息产业有限公司
上海天跃科技股份有限公司
浩云科技股份有限公司
富盛科技股份有限公司
江苏固耐特围栏系统股份有限公司
北京蓝盾世安信息咨询有限公司
上海德梁安全技术咨询服务有限公司
华东建筑设计研究院有限公司
上海广拓信息技术有限公司
福州米立科技有限公司
厦门立林电子科技有限公司
广州宏亮信息技术有限公司
云南省电子信息产品检验院

主要起草人：施巨岭　杨国胜　王永升　周　群　朱　峰
李天銮　赵　源　孙　兰　张凡忠　洪丽娟
彭　华　聂　蓉　龙中胜　钟永强　周慧敏
陈　琪　刘晓新　娄　健　蒙　剑　季景林
赵济安　汪　捷　王　雷　缪希仁　汤光耀
陈　谧　吕利平　尹　萍　吴　海　解桂秋
程莎莎　王　萍

主要审查人：刘希清　朱立彤　牟晓生　张凡夫　李秀林

张　钊　杨　磊　彭喜东　李加洪　鲍世隆

田　竞

目　　次

1　总　　则 ……………………………………………………（1）
2　术　　语 ……………………………………………………（2）
3　基本规定 ……………………………………………………（7）
4　规　　划 ……………………………………………………（9）
4.1　风险防范规划……………………………………………（9）
4.2　系统架构规划……………………………………………（12）
4.3　人力防范规划……………………………………………（14）
5　工程建设程序 ………………………………………………（15）
5.1　一般规定 ………………………………………………（15）
5.2　项目立项 ………………………………………………（15）
5.3　工程设计 ………………………………………………（15）
5.4　工程施工 ………………………………………………（16）
5.5　工程初步验收与试运行 ………………………………（17）
5.6　工程检验、验收及移交…………………………………（17）
5.7　系统运行与维护…………………………………………（18）
6　工程设计 ……………………………………………………（19）
6.1　一般规定 ………………………………………………（19）
6.2　现场勘察 ………………………………………………（19）
6.3　实体防护设计……………………………………………（21）
6.4　电子防护设计……………………………………………（25）
6.5　集成与联网设计…………………………………………（36）
6.6　安全性设计 ……………………………………………（38）
6.7　电磁兼容性设计…………………………………………（39）
6.8　可靠性设计 ……………………………………………（40）

6.9 可维护性设计 …… (41)
6.10 环境适应性设计 …… (42)
6.11 防雷与接地设计 …… (43)
6.12 供电设计 …… (43)
6.13 信号传输设计 …… (46)
6.14 监控中心设计 …… (50)
7 工程施工 …… (53)
7.1 施工准备 …… (53)
7.2 工程施工 …… (53)
7.3 系统调试 …… (59)
8 工程监理 …… (65)
8.1 一般规定 …… (65)
8.2 施工准备的监理 …… (66)
8.3 工程施工的监理 …… (66)
8.4 系统调试的监理 …… (67)
8.5 工程初步验收与系统试运行的监理 …… (67)
9 工程检验 …… (69)
9.1 一般规定 …… (69)
9.2 系统架构检验 …… (70)
9.3 实体防护检验 …… (71)
9.4 电子防护检验 …… (75)
9.5 安全性、电磁兼容性、防雷与接地检验 …… (94)
9.6 供电与信号传输检验 …… (100)
9.7 监控中心与设备安装检验 …… (103)
10 工程验收 …… (109)
10.1 验收组织 …… (109)
10.2 施工验收 …… (109)
10.3 技术验收 …… (112)
10.4 资料审查 …… (117)

10.5　验收结论 …………………………………………………… (118)
11　系统运行与维护 ………………………………………………… (121)
11.1　一般规定 …………………………………………………… (121)
11.2　系统运行 …………………………………………………… (121)
11.3　系统维护 …………………………………………………… (123)
12　咨询服务 ……………………………………………………… (127)
12.1　一般规定 …………………………………………………… (127)
12.2　咨询服务内容 ……………………………………………… (127)
本标准用词说明 …………………………………………………… (129)
引用标准名录 ……………………………………………………… (130)
附:条文说明 ……………………………………………………… (133)

Contents

1 General provisions ······ (1)
2 Terms ······ (2)
3 Basic requirements ······ (7)
4 Planning ······ (9)
4.1 Risk protection planning ······ (9)
4.2 System configuration planning ······ (12)
4.3 Personnel protection planning ······ (14)
5 Engineering construction planning ······ (15)
5.1 General requirements ······ (15)
5.2 Project approval ······ (15)
5.3 Engineering design ······ (15)
5.4 Engineering construction ······ (16)
5.5 Engineering preliminary acceptance and commissioning ······ (17)
5.6 Engineering inspection, acceptance and handover ······ (17)
5.7 System operation and maintenance ······ (18)
6 Engineering design ······ (19)
6.1 General requirements ······ (19)
6.2 Field investigation ······ (19)
6.3 Physical protection design ······ (21)
6.4 Electronical protection design ······ (25)
6.5 Integrating and networking design ······ (36)
6.6 Safety design ······ (38)
6.7 EMC design ······ (39)
6.8 Reliability design ······ (40)

6.9 Maintainability design ······ (41)
6.10 Environmental adaptation design ······ (42)
6.11 Lightning protection and grounding design ······ (43)
6.12 Power supply design ······ (43)
6.13 Signal transmission design ······ (46)
6.14 Surveillance center design ······ (50)
7 Engineering construction ······ (53)
7.1 Construction preparation ······ (53)
7.2 Engineering construction ······ (53)
7.3 System debugging ······ (59)
8 Construction supervision ······ (65)
8.1 General requirements ······ (65)
8.2 Construction preparation supervision ······ (66)
8.3 Engineering construction supervision ······ (66)
8.4 System debugging supervision ······ (67)
8.5 Engineering preliminary acceptance and system commissioning supervision ······ (67)
9 Engineering inspection ······ (69)
9.1 General requirements ······ (69)
9.2 System configuration inspection ······ (70)
9.3 Physical protection inspection ······ (71)
9.4 Electronical protection inspection ······ (75)
9.5 Safety, EMC, lightning protection and grounding inspection ······ (94)
9.6 Power supply and signal transmission inspection ······ (100)
9.7 Surveillance center and equipment installation inspection ······ (103)
10 Engineering acceptance ······ (109)
10.1 Organization of acceptance ······ (109)
10.2 Construction acceptance ······ (109)

10.3 Technical acceptance ·· (112)
10.4 Information processing ···································· (117)
10.5 Acceptance conclusion ···································· (118)
11 System operation and maintenance ······················ (121)
11.1 General requirements ···································· (121)
11.2 System operation ··· (121)
11.3 System maintenance ······································ (123)
12 Consultation service ·· (127)
12.1 General requirements ···································· (127)
12.2 Consultation contents ···································· (127)
Explanation of wording in this standard ···················· (129)
List of quoted standards ·· (130)
Addition: Explanation of provisions ························· (133)

1 总　　则

1.0.1 为了规范安全防范工程建设程序以及工程的设计、施工、监理、检验、验收、运行、维护和咨询服务，提高安全防范工程建设质量和系统运行、维护水平，保护人身安全和财产安全，维护社会安全稳定，制定本标准。

1.0.2 本标准适用于新建、改建和扩建的建(构)筑物的安全防范工程的建设以及系统运行与维护。

1.0.3 安全防范工程的建设应纳入工程建设的总体规划，根据其使用功能、安全防范管理要求和建设投资等因素，进行同步实施和独立验收。

1.0.4 安全防范工程的建设应将人力防范(人防)、实体防范(物防)、电子防范(技防)等手段有机结合，通过科学合理的规划、设计、施工、运行及维护，构建满足安全防范管理要求、具有相应风险防范能力的综合防控体系。

1.0.5 安全防范系统均应具有安全性、可靠性、可维护性和可扩展性，做到技术先进、经济适用。

1.0.6 在涉及国家安全、国家秘密的特殊领域开展安全防范工程建设，应按照相关管理要求，严格安全准入机制，选用安全可控的产品设备和符合要求的专业设计、施工和服务队伍。

1.0.7 安全防范工程的建设必须符合国家有关法律、法规的规定。

1.0.8 安全防范工程的建设除应符合本标准外，尚应符合国家现行有关标准的规定。

2 术　　语

2.0.1 安全防范　security

综合运用人力防范、实体防范、电子防范等多种手段，预防、延迟、阻止入侵、盗窃、抢劫、破坏、爆炸、暴力袭击等事件的发生。

2.0.2 人力防范　personnel protection

具有相应素质的人员有组织的防范、处置等安全管理行为，简称人防。

2.0.3 实体防范　physical protection

利用建(构)筑物、屏障、器具、设备或其组合，延迟或阻止风险事件发生的实体防护手段，又称物防。

2.0.4 电子防范　electronic security

利用传感、通信、计算机、信息处理及其控制、生物特征识别等技术，提高探测、延迟、反应能力的防护手段，又称技防。

2.0.5 安全防范系统　security system

以安全为目的，综合运用实体防护、电子防护等技术构成的防范系统。

2.0.6 安全防范工程　security engineering

为建立安全防范系统而实施的建设项目。

2.0.7 实体防护系统　physical protection system

以安全防范为目的，综合利用天然屏障、人工屏障及防盗锁、柜等器具、设备构成的实体系统。

2.0.8 电子防护系统　electronic protection system

以安全防范为目的，利用各种电子设备构成的系统。通常包括入侵和紧急报警、视频监控、出入口控制、停车库(场)安全管理、防爆安全检查、电子巡查、楼寓对讲等子系统。

2.0.9 入侵和紧急报警系统　intrusion and hold-up alarm system(I&HAS)

利用传感器技术和电子信息技术探测非法进入或试图非法进入设防区域的行为，和由用户主动触发紧急报警装置发出报警信息、处理报警信息的电子系统。

2.0.10 视频监控系统　video surveillance system(VSS)

利用视频技术探测、监视监控区域并实时显示、记录现场视频图像的电子系统。

2.0.11 出入口控制系统　access control system(ACS)

利用自定义符识别和(或)生物特征等模式识别技术对出入口目标进行识别，并控制出入口执行机构启闭的电子系统。

2.0.12 停车库(场)安全管理系统　security management system in parking lots

对人员和车辆进、出停车库(场)进行登录、监控以及人员和车辆在库(场)内的安全实现综合管理的电子系统。

2.0.13 防爆安全检查系统　anti-explosion security inspection system

对人员和车辆携带、物品夹带的爆炸物、武器和(或)其他违禁品进行探测和(或)报警的电子系统。

2.0.14 电子巡查系统　guard tour system

对巡查人员的巡查路线、方式及过程进行管理和控制的电子系统。

2.0.15 楼寓对讲系统　building intercom system

采用(可视)对讲方式确认访客，对建筑物(群)出入口进行访客控制与管理的电子系统，又称访客对讲系统。

2.0.16 安全防范管理平台　security management platform (SMP)

对安全防范系统的各子系统及相关信息系统进行集成，实现实体防护系统、电子防护系统和人力防范资源的有机联动、信息的集中处理与共享应用、风险事件的综合研判、事件处置的指挥调度、系统和设备的统一管理与运行维护等功能的硬件和软件组合。

2.0.17 保护对象 protected object

由于面临风险而需对其进行保护的对象，包括单位、建(构)筑物及其内外的部位、区域以及具体目标。

2.0.18 高风险保护对象 high risk protected object

依法确定的治安保卫重点单位和防范恐怖袭击重点目标。

2.0.19 防范对象 defensing object

需要防范的、对保护对象构成威胁的对象。

2.0.20 风险 risk

保护对象自身存在的安全隐患及其所面临的可能遭受入侵、盗窃、抢劫、破坏、爆炸、暴力袭击等行为的威胁。

2.0.21 风险评估 risk assessment

通过风险识别、风险分析、风险评价，确认安全防范系统需要防范的风险的过程。

2.0.22 风险等级 level of risk

存在于保护对象本身及其周围的、对其安全构成威胁的单一风险或组合风险的大小，以后果和可能性的组合来表达。

2.0.23 防护级别 level of protection

为保障保护对象的安全所采取的防范措施的水平。

2.0.24 安全等级 security grade

安全防范系统、设备所具有的对抗不同攻击的能力水平。

2.0.25 探测 detection

对显性风险事件和(或)隐性风险事件的感知。

2.0.26 延迟 delay

延长或(和)推迟风险事件发生的进程。

2.0.27 反应 response

为应对风险事件的发生所采取的行动。

2.0.28 误报警 false alarm

对未设计的事件做出响应而发出的报警。

2.0.29 漏报警 leakage alarm

对设计的报警事件未做出报警响应。

2.0.30 周界 perimeter

保护对象的区域边界。

2.0.31 防区 zone

在防护区域内，入侵和紧急报警系统可以探测到入侵或人为触发紧急报警装置的区域。

2.0.32 监控区域 surveillance area

视频监控系统的视频采集装置摄取的图像所对应的现场空间范围。

2.0.33 受控区 controlled area/protected area

出入口控制系统的一个或多个出入口控制点所对应的、由物理边界封闭的空间区域。

2.0.34 纵深防护 longitudinal-depth protection

根据保护对象所处的环境条件和安全防范管理要求，对整个防范区域实施由外到里或由里到外层层设防的防护措施。纵深防护分为整体纵深防护和局部纵深防护两种类型。

2.0.35 均衡防护 balanced protection

安全防范系统各部分的安全防护水平基本一致，无明显薄弱环节。

2.0.36 监控中心 surveillance center

接收处理安全防范系统信息、处置报警事件、管理控制系统设备的中央控制室，通常划分为值守区和设备区。

2.0.37 系统运行 system operation

利用安全防范系统开展报警事件处置、视频监控、出入控制等安全防范活动的过程。

2.0.38 系统维护 system maintenance

保障安全防范系统正常运行并持续发挥安全防范效能而开展

的维修保养活动。

2.0.39 系统效能评估　　system effectiveness evaluation

对安全防范系统满足预期效能程度的分析评价过程。

3 基本规定

3.0.1 安全防范工程建设与系统运行维护应进行全生命周期管理，统筹规划。应遵循工程建设程序与要求，确定各阶段目标，有计划、有步骤地开展工程建设、系统运行与维护。

3.0.2 安全防范工程的建设应遵循下列原则：

1 人防、物防、技防相结合，探测、延迟、反应相协调；

2 保护对象的防护级别与风险等级相适应；

3 系统和设备的安全等级与防范对象及其攻击手段相适应；

4 满足防护的纵深性、均衡性、抗易损性要求；

5 满足系统的安全性、可靠性要求；

6 满足系统的电磁兼容性、环境适应性要求；

7 满足系统的实时性和原始完整性要求；

8 满足系统的兼容性、可扩展性、可维护性要求；

9 满足系统的经济性、适用性要求。

3.0.3 安全防范工程建设应进行风险防范规划、系统架构规划和人力防范规划。应通过风险评估明确需要防范的风险，统筹考虑人力防范能力，合理选择物防和技防措施，构建安全可控、开放共享的安全防范系统。

3.0.4 安全防范工程中使用的设备、材料必须符合国家法规和现行相关标准的要求，并经检测或认证合格。

3.0.5 安全防范工程施工、初验与试运行等阶段宜聘请监理机构进行工程监理。

3.0.6 高风险保护对象的安全防范工程应进行工程检验。工程检验应由具有安全防范工程检验资质且检验能力在资质能力授权范围内的检验机构实施。

3.0.7 安全防范工程竣工后,应进行独立验收或专项验收。

3.0.8 安全防范系统建设(使用)单位应建立系统运行与维护的保障体系和长效机制,保障安全防范系统正常运行,并持续发挥安全防范效能。

3.0.9 安全防范系统运行过程中,建设(使用)单位宜结合安全防范需求和系统使用情况,进行风险评估和系统效能评估。

3.0.10 安全防范工程建设与系统运行维护全生命周期内宜引入专业咨询服务机制。

4 规　　划

4.1 风险防范规划

4.1.1 安全防范工程建设应明确保护对象及其安全需求，并应符合下列规定：

1 保护对象的确定应考虑保护单位、保护部位和（或）区域、保护目标三个层次；保护目标分为需要保护的物品目标、人员目标以及系统和（或）设备和（或）部件等；

2 保护对象的安全需求应根据治安防范和反恐防范的需求进行分析和确定。

4.1.2 安全防范工程建设应根据保护对象的安全需求，通过风险评估确定需要防范的具体风险，至少应包括下列内容：

1 应结合当前的内外部环境条件和安全防范能力，针对可能对保护对象安全构成威胁的各类风险进行识别；

2 应对识别出的各种风险发生的可能性和造成后果（包括损失和不良影响）的严重性进行分析；

3 应将风险分析结果与预先设定的风险准则相比较，进行风险评价，确定各种风险的等级；

4 应根据风险评价结果，结合安全防范工程建设（使用）单位对风险的承受度和容忍度，对需要通过安全防范工程进行防范的风险进行确认。

4.1.3 安全防范工程建设应针对需要防范的风险，按照纵深防护和均衡防护的原则，统筹考虑人力防范能力，协调配置实体防护和（或）电子防护设备、设施，对保护对象从单位、部位和（或）区域、目标三个层面进行防护，且应符合下列规定：

1 周界的防护应符合下列规定：

1)应根据现场环境和安全防范管理要求,合理选择实体防护和(或)入侵探测和(或)视频监控等防护措施;

2)应考虑不同的实体防护措施对不同风险的防御能力;

3)应考虑不同的入侵探测设备对翻越、穿越、挖洞等不同入侵行为的探测能力以及入侵探测报警后的人防响应能力;

4)应考虑视频监控设备对周界环境的监视效果,至少应能看清周界环境中人员的活动情况。

2 出入口的防护应符合下列规定:

1)应根据现场环境和安全防范管理要求,合理选择实体防护和(或)出入口控制和(或)入侵探测和(或)视频监控等防护措施;

2)应考虑不同的实体防护措施对不同风险的防御能力;

3)应考虑出入口控制的不同识读技术类型及其防御非法入侵(强行闯入、尾随进入、技术开启等)的能力;

4)应考虑不同的入侵探测设备对翻越、穿越等不同入侵行为的探测能力,以及入侵探测报警后的人防响应能力;

5)应考虑视频监控设备对出入口的监视效果,通常应能清晰辨别出入人员的面部特征和出入车辆的号牌。

3 通道和公共区域的防护应符合下列规定:

1)应选择视频监控,监视效果应能看清监控区域内人员、物品、车辆的通行状况;重要点位宜清晰辨别人员的面部特征和车辆的号牌;

2)高风险保护对象周边的通道和公共区域,可选择入侵探测和(或)实体防护措施。

4 监控中心、财务室、水电气热设备机房等重要区域、部位的防护应符合下列规定:

1)应根据现场环境和安全防范管理要求,合理选择实体防护和(或)出入口控制和(或)入侵探测和(或)视频监控等防护措施；

2）实体防护应选择防盗门和（或）防盗窗，其他防护措施应考虑选择的设备类型及其防御非法入侵的能力、报警后的响应时间以及视频监控的监视效果。

5 保护目标的防护应符合下列规定：

1）应根据现场环境和安全防范管理要求，合理选择实体防护和（或）区域入侵探测和（或）位移探测和（或）视频监控等防护措施；

2）应根据不同保护目标的具体情况和对抗的风险，采取相应的实体防护措施；

3）可采用区域入侵探测、位移探测等手段对固定目标被接近或被移动的情况实时探测报警，应考虑报警后的人防响应能力；

4）采用视频监控进行防护时，应确保保护目标持续处于监控范围内，应考虑对保护目标及其所在区域的监视效果，且至少应能看清保护目标及其所在区域中人员的活动情况，当保护目标涉密或有隐私保护需求时，视频监控应满足保密和隐私保护的相关规定。

6 针对人员密集、大流量的出入口、通道等场所，除应考虑安全防护措施外，还应考虑人员疏导和快速通行等措施。

4.1.4 当保护对象被确定为防范恐怖袭击重点目标时，应根据防范恐怖袭击的具体需求，强化防护措施，并应符合下列规定：

1 周界的防护应考虑实体防护装置和电子防护装置的联合设置；

2 出入口和通道的防护应考虑防爆安全检查设备、人行通道闸和车辆阻挡装置的设置以及设置安全缓冲或隔离区等；

3 人员密集的公共区域防护应考虑视频监控的全覆盖、排爆设施和防御设施的配置；

4 监控中心、水电气热设备机房等重要区域、部位防护应考虑实体防护装置和电子防护装置的联合设置；

5 应考虑视频图像智能分析技术的应用和信息存储时间的特殊要求；

6 应考虑对无人飞行器的防御和反制措施；

7 应考虑对安全防范系统及其关键设备安全措施和冗余措施的加强。

4.2 系统架构规划

4.2.1 安全防范系统架构规划应按照安全可控、开放共享的原则，统筹考虑子系统组成、信息资源、集成/联网方式、传输网络、安全防范管理平台、信息共享应用模式、存储管理模式、系统供电、接口协议、智能应用、系统运行维护、系统安全等要素。

4.2.2 安全防范系统的各子系统应根据现场勘察和风险防范规划以及前端布防情况确定，并应符合下列规定：

1 应综合设计和选择配置实体防护系统、电子防护系统、安全防范管理平台；

2 应根据现场自然条件、物理空间等情况，合理利用天然屏障，综合设计和选择配置人工屏障、防护器具（设备）等实体防护系统；

3 应综合设计和选择配置入侵和紧急报警系统、视频监控系统、出入口控制系统、停车库（场）安全管理系统、防爆安全检查系统、电子巡查系统、楼寓对讲系统等电子防护子系统，以及各子系统的前端、传输、信息处理/控制/管理、显示/记录等单元。

4.2.3 集成和（或）联网的各类信息资源应根据对安全防范各子系统集成管理的需要确定。

4.2.4 应根据各类信息资源共享、交换的实际需要以及系统复杂程度的不同，合理选择下列系统集成联网方式：

1 通过不同子系统设备之间的信号驱动实现的简单联动方式；

2　通过不同子系统管理软件之间的通信实现的子系统联动方式；

3　通过安全防范管理平台实现对安全防范各子系统以及其他子系统集中控制与管理的集成方式；

4　通过对多级安全防范管理平台的互联，实现大范围、跨区域安全防范系统的级联方式；

5　根据安全防范管理的需要，安全防范系统还可与其他业务系统进行集成、联网的综合应用方式。

4.2.5　安全防范系统宜采用专用传输网络，可采用专线方式或公共传输网络基础上的虚拟专网（VPN）方式。传输网络宜采用以监控中心为汇接/核心点（根节点）的星形/树形传输网络拓扑结构。系统传输的通信链路应满足系统的信息传输、交换和共享应用的需要。当有线传输不具备条件时，可采用具有相应安全措施的无线传输方式。

4.2.6　应根据安全防范系统集成、联网与管理的实际需要，合理规划设计安全防范管理平台的具体功能，且应符合本标准第6.4.1条的相关规定。

4.2.7　应根据安全防范系统信息共享应用的实际需要，设置客户端和（或）分平台。客户端和（或）分平台宜基于系统专用传输网络进行规划设计。安全防范管理平台也可通过边界安全隔离措施与基于其他网络环境建设的安全防范系统和（或）其他业务系统实现信息的交换与共享。

4.2.8　应根据安全防范系统信息存储与管理的实际需要，合理规划数据存储管理模式。

4.2.9　应根据安全防范系统及其设备的空间分布特点、供电条件和安全保障需求，合理选择主电源、备用电源及其供电模式和保障措施。

4.2.10　应根据安全防范系统、设备互联互通以及信息共享应用的具体要求，统筹规划设计系统的各类接口以及信息传输、交换、控制协议。

4.2.11 应根据用户对安全防范系统信息、数据深化应用的实际需求，进行安全防范管理平台的智能化模块设计，或在安全防范管理平台之外单独规划设计智能化应用系统，包括视频智能分析系统、大数据分析系统等。

4.2.12 应根据安全防范系统接入设备的规模及复杂程度，进行安全防范管理平台的运行维护模块设计，或在安全防范管理平台之外单独规划设计运行维护管理平台（运行维护管理系统），保障安全防范系统、设备以及网络的正常运行。

4.2.13 应按照信息安全相关要求，整体规划安全防范系统的安全策略，选择适宜的接入设备安全措施、数据安全措施、传输网络安全措施以及不同网络的边界安全隔离措施等。

4.3 人力防范规划

4.3.1 安全防范工程建设（使用）单位应根据人防、物防、技防相结合，探测、延迟、反应相协调的原则，综合考虑物防、技防能力以及系统正常运行、应急处置的需要，进行人力防范规划。

4.3.2 安全防范工程建设（使用）单位应合理配备保卫人员、系统值机操作和维护人员等人力资源以及必要的防护、防御和对抗性设备、设施和装备。

4.3.3 人员、设备、设施和装备的数量及部署位置应满足安全防范系统运行、应急反应、现场处置和预期风险对抗能力的要求。

4.3.4 应建立健全安全防范管理制度，并结合安全防范系统运行要求，优化业务流程。

4.3.5 应针对各类突发事件分别制定应急处置预案，并定期演练。应急处置预案至少包括针对的事件、人员及分工、处置的流程及措施、设备（设施或装备）的使用、目标保护和人员疏散方案等内容。

4.3.6 应建立技术、技能培训机制，确保人员胜任工作岗位。

5 工程建设程序

5.1 一般规定

5.1.1 安全防范工程建设程序应划分项目立项、工程设计、工程施工、工程初步验收与试运行、工程检验验收及移交、系统运行维护等主要阶段。

5.1.2 安全防范工程建设管理应按现行国家标准《建设工程项目管理规范》GB/T 50326 的有关规定执行。

5.2 项目立项

5.2.1 安全防范工程项目立项时，应编制项目建议书，项目建议书应提出安全防范的实际需求和项目建设规划。

5.2.2 项目建议书经批准后，应编制可行性研究报告。可行性研究报告应对技术可行性与经济合理性进行分析、论证和综合评价，应能为安全防范工程建设提供投资决策依据。可行性研究报告应包括设计说明、设计图纸、主要设备清单及工程造价（投资）估算等。

5.3 工程设计

5.3.1 安全防范工程初步设计前，建设单位应根据获得批准的可行性研究报告组织编制设计任务书。设计任务书应根据相关的国家法律法规规定、标准规范要求和管理使用需求，明确工程建设的目的及内容、保护对象和防范对象、安全需求、安全防范工程需要防范的风险、安全防范系统功能性能要求等。

5.3.2 建设单位应按照相关法律法规的要求，确定设计单位。

5.3.3 设计单位应会同相关单位进行现场勘察，并编制现场勘察报告。现场勘察报告应经参与勘察的各方确认。

5.3.4 设计单位应根据设计任务书、设计合同和现场勘察报告开展初步设计工作，提出实现项目建设目标、满足安全防范管理要求的具体实施方案。初步设计文件应包括设计说明、初步设计图纸、主要设备和材料清单及工程概算书等。

5.3.5 安全防范工程初步设计完成后，项目管理机构应组织专家对初步设计方案进行评审，并出具评审意见。

5.3.6 安全防范工程初步设计方案评审通过并经项目管理机构确认后，设计单位应根据初步设计方案及评审意见进行施工图设计。

5.3.7 施工图设计文件应满足设备材料采购、非标准设备制作和施工的需要。施工图设计文件应包括设计说明、施工图设计图纸、设备材料清单及工程预算书等。

5.3.8 施工图设计完成后，建设单位应根据政策法规要求将相关资料报建设行政主管部门审查。建设单位应向审查机构提供的资料包括作为勘察设计依据的政府有关部门的批准文件及附件、全套施工图、其他应当提交的材料等。

5.4 工程施工

5.4.1 施工图审查通过后，建设单位应按照相关法律法规的要求，确定施工单位。

5.4.2 深化设计应在审查通过的施工图设计文件基础上，对施工图设计的内容进行审查、核算和修订，量化、准确地表达设计内容及设备、材料、工艺要求等，对施工方、施工作业的特殊要求等进行详尽说明。

5.4.3 施工图设计单位应配合深化设计单位了解系统的情况及要求，审核深化设计单位的设计图纸。

5.4.4 深化设计完成后，应由项目管理机构组织评审。评审通过后，深化设计单位应提交全部深化设计文件。

5.4.5 工程施工前，设计单位应对施工单位和监理单位进行设计交底。

5.4.6 工程施工时，施工单位应按照深化设计文件中的技术指标订货、按照深化设计文件规定的建设内容和施工工艺施工。

5.4.7 安全防范工程的管线敷设、设备安装、系统调试等应按本标准第7章执行。

5.4.8 工程施工阶段，建设单位可委托具有相应能力的监理单位对工程建设进行监督管理。工程监理应按本标准第8章执行。

5.5 工程初步验收与试运行

5.5.1 施工单位应依据工程合同要求对相关人员进行技术培训。培训大纲、课程设置及培训方案应经项目管理机构评审、批准。

5.5.2 工程质量及系统功能性能经施工单位自检满足工程合同和设计文件要求后，项目管理机构、设计单位及施工单位应共同对工程进行初步验收，形成初步验收报告。

5.5.3 初步验收通过、项目整改及复验完成后，安全防范系统至少应试运行30d。试运行期间，施工单位应配合项目管理机构建立系统的运行、操作和维护等管理制度。

5.5.4 系统经试运行达到合同和设计文件要求，项目管理机构应依据试运行期间系统的运行情况及试运行记录，出具试运行报告。

5.6 工程检验、验收及移交

5.6.1 安全防范工程建设完成，经试运行达到工程合同和设计文件要求后，施工单位应编制竣工报告。

5.6.2 施工单位应根据深化设计图纸、图纸会审记录、设计变更、工程洽商等文件编制竣工文件。竣工文件应完整齐全、准确真实、签章完备，应与施工内容一致。

5.6.3 高风险保护对象以及按照相关法律法规、工程合同等要求需进行工程检验的安全防范工程，应在工程竣工验收前，由检验机构对工程质量进行检验并出具检验报告。工程检验的依据、程序及检验项目、检验要求及方法等应按本标准第9章执行。

5.6.4 工程检验完成、项目整改复验合格后，建设单位应组织竣工验收。竣工验收应包括施工验收、技术验收和资料审查。竣工验收的组织、验收内容和要求、验收结论等应按本标准第10章执行。

5.6.5 安全防范工程竣工验收通过且项目整改复验完成后，施工单位应整理、编制、移交完整的工程竣工文件，并将安全防范系统移交建设单位正式投入使用。

5.7 系统运行与维护

5.7.1 安全防范工程施工单位应按照工程合同、工程质量保修书等的规定，完成工程保修、技术支持等售后服务工作。

5.7.2 建设(使用)单位应制定安全防范系统运行与维护规划，建立包括人员、经费、制度和技术支撑系统在内的运行维护保障体系。

5.7.3 安全防范系统的运行与维护应按本标准第11章执行。

6 工程设计

6.1 一般规定

6.1.1 安全防范工程的设计应运用传感、通信、计算机、信息处理及其控制、生物特征识别、实体防护等技术，构成安全可靠、先进成熟、经济适用的安全防范系统。

6.1.2 安全防范工程的设计应遵循整体纵深防护和(或)局部纵深防护的理念，分别或综合设置建筑物(群)和构筑物(群)周界防护、建筑物和构筑物内(外)区域或空间防护以及重点目标防护系统。

6.1.3 安全防范工程的设计除应满足系统的安全防范效能外，还应满足紧急情况下疏散通道人员疏散的需要。

6.1.4 安全防范工程的设计应以结构化、规范化、模块化、集成化的方式实现，应能适应系统维护和技术发展的需要。

6.1.5 高风险保护对象安全防范工程的设计应结合人防能力配备防护、防御和对抗性设备、设施和装备。

6.2 现场勘察

6.2.1 安全防范工程设计前，应进行现场勘察，并应做好现场勘察记录。

6.2.2 现场勘察应符合下列规定：

1 调查保护对象的基本情况，应包括下列内容：

1)保护对象的风险等级与防护级别；

2)保护对象的人防组织管理、物防设施能力与技防系统建设情况；

3)保护对象所涉及的建筑物、构筑物或其群体的基本情况：

建筑平面、使用(功能)分配、通道、门窗、电(楼)梯分布、管道、供配电线路布局、建筑结构、墙体及周边情况等；

4)其他需要勘察的内容。

2 调查和了解保护对象所在地及周边的地理、气候、雷电灾害、电磁等自然环境和人文环境等情况，应包括下列内容：

1)调查了解保护对象周围的地形地物、交通情况及房屋状况；调查了解保护对象当地的社情民风及社会治安状况(包括常发、易发的不安全事件和案件)；

2)调查工程现场一年中温度、湿度、风、雨、雾、霜等的变化情况和持续时间(以当地气候资料为准)；调查了解当地的雷电活动情况和所采取的雷电防护措施；

3)调查保护对象周围的电磁辐射情况，必要时应实地测量其电磁辐射的强度和辐射规律；

4)其他需要勘察的内容。

3 调查和了解防护区域内与工程建设相关的情况，应包括下列内容：

1)周界的形状、长度及已有的物防设施情况，周界出入口及周界内外地形地物情况；

2)防护区域内防护部位、防护目标的分布；

3)防护区域内所有出入口位置、通道长度、门洞尺寸及门窗(包括天窗)的位置、尺寸等；

4)防护区域内各种管道、强弱电竖井分布及供电设施情况；

5)防护区域内光照度变化情况和夜间提供光照度的能力；

6)监控中心/分控中心/专用设备间的位置、建筑结构、使用面积、层高、进/出线位置、供电及防雷接地情况；

7)其他需要勘察的内容。

4 调查和了解保护对象的开放区域(公共区域)的情况，应包括下列内容：

1)人员密集场所的位置、面积、周边环境、应急疏散措施等；

2)开放区域(公共区域)内人员、车辆的承载能力及活动路线;

3)开放区域(公共区域)出入通道(口)位置、数量、形态等;

4)其他需要勘察的内容。

5 调查和了解重点部位和重点目标的情况,应包括下列内容:

1)枪支等武器、弹药、危险化学品、民用爆炸物品、核与放射物品、传染病病原体等物质所在的场所及其周边的情况;

2)电信、广播电视、供水、排水、供电、供气、供热等公共设施所在的场所及其周边的情况;

3)其他需要勘察的内容。

6 调查了解主要防范对象及其攻击特点。

6.2.3 现场勘察结束后应编制现场勘察报告。现场勘察报告的内容应包括项目名称、勘察时间、参加单位及人员、项目概况、勘察内容、勘察记录等。

6.3 实体防护设计

6.3.1 实体防护设计应与建筑选址、建筑设计、景观设计进行统筹规划、同步设计。

6.3.2 实体防护设计应根据保护对象的安全需求,针对防范对象及其威胁方式,按照纵深防护的原则,采取相应的实体防护措施延迟或阻止风险事件的发生。

6.3.3 实体防护设计应遵循安全性、耐久性、联动性、模块化、标准化等原则。

6.3.4 实体防护设计应包括周界实体防护设计、建(构)筑物设计和实体装置设计。

6.3.5 周界实体防护设计应包括周界实体屏障、出入口实体防护、车辆实体屏障、安防照明与警示标志等设计内容。

6.3.6 周界实体屏障的设计应符合下列规定:

1　应根据场地条件合理规划周界实体屏障的位置；周界实体屏障的防护面一侧的区域内不应有可供攀爬的物体或设施；

2　有防爆安全要求的周界实体屏障，应根据爆炸冲击波对防护区域的破坏力和(或)杀伤力，设置有效的安全距离；

3　根据安全防范管理要求，可按照分级、分区、纵深防护的原则，设置单层或多层周界实体屏障；多层周界实体屏障之间宜建立清除区；宜充分利用天然屏障进行综合设计，可多种类、多形式屏障组合应用；

4　有防攀越、防穿越、防拆卸、防破坏、防窥视、防投射物等防护功能的周界实体屏障，其材质、强度、高度、宽度、深度(地面以下)、厚度等应满足防护性能的要求；

5　穿越周界的河道、涵洞、管廊等孔洞，应采取相应的实体防护措施。

6.3.7　出入口实体防护设计应符合下列规定：

1　根据安全防范管理要求，在满足通行能力的前提下，应减少周界出入口数量；出入口应设置实体屏障，宜远离重要保护目标；人员、车辆出入口宜分开设置；可设置有人值守的警卫室或安全岗亭；无人值守的出入口实体屏障的防护能力应与周界实体屏障相当；

2　根据安全防范管理要求，车辆出入口及相关道路设计应考虑车辆限速措施；出入口可设置车辆检查管理区；根据需要，可设置防车辆撞击和爆炸袭击的实体屏障；防车辆尾随时，应采用封闭式廊道、联动互锁门等方式，宜与电子防护系统联合设置；

3　出入口实体屏障宜具有防止人员穿越、攀越、拆卸、破坏、窥视、尾随等防护功能。

6.3.8　车辆实体屏障设计应符合下列规定：

1　根据安全防范管理要求，可在周界、出入口、建(构)筑物外广场等区域或部位设置被动式车辆实体屏障和主动式车辆实体屏障，以限制、禁止、阻挡车辆进入，防范车辆撞击和车辆炸弹袭击对保护对象的伤害；

2 车辆实体屏障应具有减速、吸能、阻停等防护功能；应根据防范车辆的载重、速度及其撞击产生的动能，合理设计车辆实体屏障的高度、结构强度、固定方式和材质材料等，满足相应的防冲撞能力要求；

3 有防爆安全要求的车辆实体屏障，应设置有效的安全距离；

4 车辆实体屏障可多重组合应用，进行纵深防护布置。

6.3.9 安防照明与警示标志应符合下列规定：

1 根据安全防范管理要求，可选择连续照明、强光照明、警示照明、运动激活照明等安防照明措施，照射的区域和照度应满足安全防范要求；安防照明不应对保护目标造成伤害；安防照明宜与电子防护系统联动；

2 应在必要位置设置明显的警示标志，警示标志尺寸、颜色、文字、图像、标识应符合相关规定。

6.3.10 建(构)筑物的实体防护功能设计应包括平面与空间布局、结构和门窗等设计内容。

6.3.11 建(构)筑物平面与空间布局应符合下列规定：

1 根据安全防范管理要求，应合理设计建(构)筑物场地道路的安全距离、线形和行进路线；应利用场地和景观形成缓冲区、隔离带、障碍等，发挥场地与景观的实体防护功能；

2 建(构)筑物内部区域应进行公共区域、办公区域、重点区域的划分；重点区域宜设置独立出入口；通道设计宜避免人员隐匿或藏匿；重要保护目标所在部位或区域宜设计专用通道；公共停车场宜远离重要保护目标；报警响应人员的驻守位置应保障应急响应、现场处置的需要；

3 具有易燃、易爆、有毒、放射性等特性的保护目标，其存放场所或独立建(构)筑物应设置在隐蔽和远离人群的位置。

6.3.12 建(构)筑物结构设计应符合下列规定：

1 建(构)筑物墙体、楼顶(底)板的厚度、材料、结构强度应具有相应的防撞击、撬、挖、凿、攀爬等防护能力;现有建筑结构不能满足防护要求时,应采用其他材料进行加固;

2 重要保护目标宜采用多种实体屏障组合应用,进行纵深防护;

3 有防爆炸要求时,建筑物墙体应进行防爆结构设计;有保密要求的场所,应进行信息屏蔽、防窃听窃视设计;

4 建(构)筑物的洞口、管沟、管廊、吊顶、风管、桥架、管道等空间尺寸能够容纳防范对象隐蔽进入时,应采用实体屏障或实体构件进行封闭和阻挡。

6.3.13 建筑门窗的设计与选型应符合下列规定:

1 建筑物所有门窗的框架、固定方式、五金部件等应具有均衡的防撬、防砸、防拆卸等防护能力,并与墙体的防护能力相匹配;

2 有防盗要求时,保护目标所在的部位或区域应按照国家现行标准采用相应安全级别的防盗安全门和相应防护能力的防盗窗;

3 有防爆炸和(或)防弹和(或)防砸要求时,保护目标的门窗应采用具有相应防护能力的材料和结构;选用的防爆炸和(或)防弹和(或)防砸玻璃等材料应符合国家现行标准中相应安全级别的规定;

4 金库等特殊保护目标库房的总库门应采用具有防破坏、防火、防水等相应能力的安全门。

6.3.14 实体装置设计与选型应符合下列规定:

1 应根据保护目标的安全需求,合理配置具有防窥视、防砸、防撬、防弹、防爆炸等功能的实体装置;实体装置的安全等级应与其风险防护能力相适应;

2 应合理选用防盗保险柜(箱)、物品展示柜、防护罩、保护套管等实体装置对重要物品、重要设施、重要线缆等保护目标进行实体防护。

6.4 电子防护设计

6.4.1 安全防范管理平台是安全防范系统集成与联网的核心，其设计应包括集成管理、信息管理、用户管理、设备管理、联动控制、日志管理、统计分析、系统校时、预案管理、人机交互、联网共享、指挥调度、智能应用、系统运维、安全管控等功能，并应符合下列规定：

1 应能对安全防范各子系统进行控制与管理，实现各子系统的高效协同工作；

2 应能实现系统中报警、视频图像等各类信息的存储管理、检索与回放；

3 应能对系统用户进行创建、修改、删除和查询，对系统用户划分不同的操作和控制权限；

4 应能对安全防范系统的设备在线状态进行监测，宜对系统内设备进行统一编址、寻址、注册和认证等管理；

5 应能实现相关子系统间的联动，并以声和(或)光和(或)文字图形方式显示联动信息；

6 应能对系统用户的操作、系统运行状态等进行记录、查询、显示；

7 应能对系统数据进行统计、分析，生成相关报表；

8 应能对系统及设备的时钟进行自动校时，计时偏差应满足管理要求；

9 应能针对不同的报警或其他应急事件编制、执行不同的处置预案，并对预案的处置过程进行记录；

10 系统软件应提供清晰、简洁、友好的中文人机交互界面；

11 应能支持安全防范系统各级管理平台或分平台之间以及与非安防系统之间的联网，实现信息交换与共享；信息传输、交换、控制协议应符合国家现行相关标准的规定；

12 应能支持通过对各类信息的综合掌控，实现对资源的统一调配和应急事件的快速处置；

13 宜支持通过对视音频信息的结构化分析、大数据处理等智能化手段，实现对关注目标的自动识别、风险态势的综合研判与预警；

14 宜支持对系统和设备的运行状态进行实时监控，对设备生命周期进行管理；及时发现故障，保障系统和设备的正常运行；

15 应采取安全防控措施，保障系统、设备及传输网络的安全运行。宜支持对系统、设备及传输网络的安全监测与风险预警。

6.4.2 入侵和紧急报警系统应对保护区域的非法隐蔽进入、强行闯入以及撬、挖、凿等破坏行为进行实时有效的探测与报警。应结合风险防范要求和现场环境条件等因素，选择适当类型的设备和安装位置，构成点、线、面、空间或其组合的综合防护系统。

6.4.3 入侵和紧急报警系统设计内容应包括安全等级、探测、防拆、防破坏及故障识别、设置、操作、指示、通告、传输、记录、响应、复核、独立运行、误报警与漏报警、报警信息分析等，并应符合下列规定：

1 设备的安全等级不应低于系统的安全等级。多个报警系统共享部件的安全等级应与各系统中最高的安全等级一致。

2 入侵和紧急报警系统应能准确、及时地探测入侵行为或触发紧急报警装置，并发出入侵报警信号或紧急报警信号。

3 当下列设备被替换或外壳被打开时，入侵和紧急报警系统应能发出防拆信号：

1）控制指示设备、告警装置；

2）安全等级 2、3、4 级的入侵探测器；

3）安全等级 3、4 级的接线盒。

4 当报警信号传输线被断路/短路、探测器电源线被切断、系统设备出现故障时，控制指示设备应发出声、光报警信号。

5 应能按时间、区域、部位，对全部或部分探测防区（回路）的瞬时防区、24h 防区、延时防区、设防、撤防、旁路、传输、告警、胁迫

报警等功能进行设置。应能对系统用户权限进行设置。

6 系统用户应能根据权限类别不同，按时间、区域、部位对全部或部分探测防区进行自动或手动设防、撤防、旁路等操作，并应能实现胁迫报警操作。

7 系统应能对入侵、紧急、防拆、故障等报警信号来源、控制指示设备以及远程信息传输工作状态有明显清晰的指示。

8 当系统出现入侵、紧急、防拆、故障、胁迫等报警状态和非法操作时，系统应能根据不同需要在现场和(或)监控中心发出声、光报警通告。

9 应能实时传递各类报警信号/信息、控制指示设备各类运行状态信息和事件信息。当传输链路受到来自防护区域外部的影响时，安全等级4级的系统应采取特殊措施以确保信号或信息不能被延迟、修改、替换或丢失。

10 应能对系统操作、报警和有关警情处理等事件进行记录和存储，且不可更改。对于安全等级2、3和4级还应具有记录等待传输事件的功能、记录事件发生的时间和日期。对于安全等级3、4级应具有事件记录永久保存的设备。

11 系统报警响应时间应满足相关现行国家标准的要求。

12 在重要区域和重要部位发出报警的同时，应能对报警现场进行声音和(或)图像复核。

13 安全防范系统的其他子系统和安全管理系统的故障宜不影响入侵和紧急报警系统的运行，入侵和紧急报警系统的故障宜不影响安全防范系统其他子系统的运行；当用于高风险保护对象时，安全防范系统的其他子系统和安全防范管理平台的故障均应不影响入侵和紧急报警系统的运行，入侵和紧急报警系统的故障应不影响安全防范系统其他子系统的运行。

14 入侵和紧急报警系统不得有漏报警，误报警率应符合设计任务书和(或)工程合同书的要求。

15 系统可具有对各类状态/事件信息进行综合分析、研判等功能。

6.4.4 视频监控系统应对监控区域和目标进行实时、有效的视频采集和监视，对视频采集设备及其信息进行控制，对视频信息进行记录与回放，监视效果应满足实际应用需求。

6.4.5 视频监控系统设计内容应包括视频/音频采集、传输、切换调度、远程控制、视频显示和声音展示、存储/回放/检索、视频/音频分析、多摄像机协同、系统管理、独立运行、集成与联网等，并应符合下列规定：

1 视频采集设备的监控范围应有效覆盖被保护部位、区域或目标，监视效果应满足场景和目标特征识别的不同需求。视频采集设备的灵敏度和动态范围应满足现场图像采集的要求。

2 系统的传输装置应从传输信道的衰耗、带宽、信噪比，误码率、时延、时延抖动等方面，确保视频图像信息和其他相关信息在前端采集设备到显示设备、存储设备等各设备之间的安全有效及时传递。视频传输应支持对同一视频资源的信号分配或数据分发的能力。

3 系统应具备按照授权实时切换调度指定视频信号到指定终端的能力。

4 系统应具备按照授权对选定的前端视频采集设备进行PTZ实时控制和(或)工作参数调整的能力。

5 系统应能实时显示系统内的所有视频图像，系统图像质量应满足安全管理要求。声音的展示应满足辨识需要。显示的图像和展示的声音应具有原始完整性。

6 存储/回放/检索应符合下列规定：

1)存储设备应能完整记录指定的视频图像信息，其容量设计应综合考虑记录视频的路数、存储格式、存储周期长度、数据更新等因素，确保存储的视频图像信息质量满足安全管理要求；

2)视频存储设备应具有足够的能力支持视频图像信息的及

时保存、连续回放、多用户实时检索和数据导出等；

3）视频图像信息宜与相关音频信息同步记录、同步回放。

7 防范恐怖袭击重点目标的视频图像信息保存期限不应少于90d，其他目标的视频图像信息保存期限不应少于30d。

8 系统可具有场景分析、目标识别、行为识别等视频智能分析功能。系统可具有对异常声音分析报警的功能。

9 系统可设置多台摄像机协同工作。

10 系统应具有用户权限管理、操作与运行日志管理、设备管理和自我诊断等功能。

11 安全防范系统的其他子系统和安全防范管理平台（非依赖于视频监控系统的安全防范管理平台）的故障均应不影响视频监控系统的运行；视频监控系统的故障应不影响安全防范系统其他子系统的运行。

12 系统应具有与其他子系统集成和进行多级联网的能力。

6.4.6 出入口控制系统应根据不同的通行对象进出各受控区的安全管理要求，在出入口处对其所持有的凭证进行识别查验，对其进出实施授权、实时控制与管理，满足实际应用需求。

6.4.7 出入口控制系统的设计内容应包括：与各出入口防护能力相适应的系统和设备的安全等级、受控区的划分、目标的识别方式、出入控制方式、出入授权、出入口状态监测、登录信息安全、自我保护措施、现场指示/通告、信息记录、人员应急疏散、独立运行、一卡通用等，并应符合下列规定：

1 应根据对保护对象的防护能力差异化的要求，选择相应的系统和设备的安全等级。设备/部件的安全等级应与出入口控制点的防护能力相适应。共享设备/部件的安全等级应不低于与之相关联设备/部件的最高安全等级。出入口控制系统/设备分为四个安全等级，1级为最低等级，4级为最高等级。安全等级对应到每个出入口控制点。

2 应根据安全管理要求及各受控区的出入权限要求，确定各个受控区，明确同权限受控区和高权限受控区，并以此作为系统设备的选型和安装位置设置的重要依据。

3 出入口控制系统应采用编码识读和(或)特征识读方式，对目标进行识别。编码识别应有防泄露、抗扫描、防复制的能力。特征识别应在确保满足一定的拒认率的管理要求基础上降低误识率，满足安全等级的相应要求。系统应根据每个出入口控制点所对应的安全等级要求，选择适合的设备，并应符合下列规定：

1)安全等级为3、4级时，目标识别不应采用只识读PIN的识别方式，应采用下列单一识别方式或复合识别方式：

——编码载体信息凭证识别方式；

——模式特征信息凭证识别方式；

——编码载体信息凭证、PIN组合的复合识别方式；

——模式特征信息凭证、PIN组合的复合识别方式；

——编码载体信息凭证、模式特征信息凭证、PIN组合的复合识别方式。

2)只采用PIN识别的系统，其可分配的PIN总数和用户的最大数量之间的最小比率应至少为1000比1。

3)采用编码载体信息凭证的系统，其载体凭证的密钥量应满足相应安全等级的要求。

4)采用模式特征信息凭证识别的系统，其识读设备的误识率应满足相应安全等级的要求。

4 出入口控制系统应根据安全管理需要及设定的安全等级，可选择使用包括但不限于下列一种出入控制方式或多种出入控制方式的组合，并应符合下列规定：

1)各安全等级的出入口控制点，都应支持对进入受控区的单向识读出入控制功能；

2)安全等级为2、3、4级的出入口控制点，应支持对进入及离开受控区的双向识读出入控制功能；

3)安全等级为3、4级的出入口控制点，应支持对出入目标的防重入功能；

4)安全等级为3、4级的出入口控制点，应支持复合识别控制功能；

5)安全等级为4级的出入口控制点，应支持多重识别控制功能；

6)安全等级为4级的出入口控制点，应支持异地核准控制功能；

7)安全等级为4级的出入口控制点，应支持防胁迫控制功能；

8)可根据管理需要，合理选择具有防尾随功能的系统设备。

5 出入口控制系统应根据安全管理要求，对不同目标出入各受控区的时间、出入控制方式等权限进行配置。

6 出入口控制系统对出入口状态监测的功能，应符合下列规定：

1)安全等级为2、3、4级的系统，应具有监测出入口的启/闭状态的功能；

2)安全等级为3、4级的系统，应具有监测出入口控制点执行装置的启/闭状态的功能。

7 当系统管理员/操作员只用PIN登录时，其信息位数的最小值和信息特征应满足各安全等级的相关要求。

8 出入口控制系统应根据安全等级的要求，采用相应自我保护措施和配置。位于对应受控区、同权限受控区或高权限受控区域以外的部件应具有防篡改/防撬/防拆保护措施。

9 出入口控制系统应能对目标的识读结果提供现场指示。当系统出现违规识读、出入口被非授权开启、故障、胁迫等状态和非法操作时，系统应能根据不同需要在现场和(或)监控中心发出可视和(或)可听的通告或警示。并应满足各安全等级规定的相关要求。

10 系统的信息处理装置应能对系统中的有关信息自动记录、存储，并有防篡改和防销毁等措施。出入口控制系统的事件记录存储要求，应满足各安全等级规定的相关要求。

11 系统不应禁止由其他紧急系统（如火灾等）授权自由出入的功能。系统必须满足紧急逃生时人员疏散的相关要求。当通向疏散通道方向为防护面时，系统必须与火灾报警系统及其他紧急疏散系统联动，当发生火警或需紧急疏散时，人员应能不用进行凭证识读操作即可安全通过。

12 安全防范系统的其他子系统和安全防范管理平台的故障均应不影响出入口控制系统的运行；出入口控制系统的故障应不影响安全防范系统其他子系统的运行。

13 当系统与其他业务系统共用的凭证或其介质构成“一卡通”的应用模式时，出入口控制系统应独立设置与管理。

6.4.8 停车库（场）安全管理系统应对停车库（场）的车辆通行道口实施出入控制、监视与图像抓拍、行车信号指示、人车复核及车辆防盗报警，并能对停车库（场）内的人员及车辆的安全实现综合管理。

6.4.9 停车库（场）安全管理系统设计内容应包括出入口车辆识别、挡车/阻车、行车疏导（车位引导）、车辆保护（防砸车）、库（场）内部安全管理、指示/通告、管理集成等，并应符合下列规定：

1 停车库（场）安全管理系统应根据安全技术防范管理的需要，采用编码凭证和（或）车牌识别方式对出入车辆进行识别；高风险目标区域的车辆出入口可复合采用人员识别、车底检查等功能的系统；

2 停车库（场）安全管理系统设置的电动栏杆机等挡车指示设备应满足通行流量、通行车型（大小）的要求；电控阻车设备应满足高风险目标区域的阻车能力要求；

3 应根据停车库库（场）的规模和形态设计行车疏导（车位引导）功能；

4 系统挡车/阻车设备应有对正常通行车辆的保护措施，宜与地感线圈探测等设备配合使用；

5 系统应能对车辆的识读过程提供现场指示；当停车库(场)出入口装置处于被非授权开启、故障等状态时，系统应能根据不同需要向现场、监控中心发出可视和(或)可听的通告或警示；

6 系统可与停车收费系统联合设置，提供自动计费、收费金额显示、收费的统计与管理功能；系统也可与出入口控制系统联合设置，与其他安全防范子系统集成；

7 应在停车库(场)内部设置紧急报警、视频监控、电子巡查等设施，封闭式地下车库等部位应有足够的照明设施。

6.4.10 防爆安全检查系统应由具有专业能力的安全检查人员操作，在专门设置的安全检查区，通过安全检查设备的探测、识别，配合人工专业检查，实现探测、发现并阻止禁限带物品进入保护单位或区域的目的。防爆安全检查系统设计应符合下列规定：

1 系统应能对进入保护单位或区域的人员和(或)物品和(或)车辆进行安全检查，对规定的爆炸物、武器和(或)其他违禁品进行实时、有效的探测、显示、记录和报警。

2 系统所用安全检查设备应符合相关产品标准的规定。系统的探测率、误报率及人员、物品和车辆的通过率(检查速度)应满足国家现行相关标准的要求。

3 系统探测时产生的辐射剂量不应对被检人员和物品产生伤害，不应引起爆炸物起爆。系统探测时泄漏的辐射剂量不应对非被检人员和环境造成伤害。

4 成像式人体安全检查设备的显示图像应具有人体隐私保护功能。

5 安全检查信息存储时间应大于或等于90d。

6 安全检查区应设置在保护区域的入口，安全检查区内设置的安全检查通道数量、配备的安全检查设施和人员应与被检人员、物品和车辆流量相适应。

7 应根据安全防范管理要求，选择在安全检查区内配置以下安全检查设备、设施：

1)手持式金属探测器；

2)通过式金属探测门或成像式人体安全检查设备；

3)微剂量X射线安全检查设备；

4)痕量炸药探测仪；

5)危险液体检查仪；

6)车底成像安全检查设备等。

8 人员密集的大流量出入口和通道宜选用高效、安全的快速通过式安全检查设备或系统。

9 应配备防爆处置、防护设施。防护设施应安全受控，便于取用。

10 应在安全检查区设置视频监控装置，实时监视安全检查现场情况，监视和回放图像应能清晰显示安全检查区人员聚集情况、清晰辨别被检人员的面部特征、清晰显示放置和拿取被检物品等活动情况。

11 针对举办临时性大型活动的场所，应根据实际需要设置临时性防爆安全检查系统。

6.4.11 楼寓对讲系统应能使被访人员通过（可视）对讲方式确认访客身份，控制开启出入口门锁，实现建筑物（群）出入口的访客控制与管理。

6.4.12 楼寓对讲系统设计内容应包括对讲、可视、开锁、防窃听、告警、系统管理、报警控制及管理、无线扩展终端、系统安全等，并应符合下列规定：

1 访客呼叫机与用户接收机之间、多台管理机之间、管理机与访客呼叫机之间、管理机与用户接收机之间应具有双向对讲功能；系统应限制通话时长以避免信道被长时间占用；

2 具有可视功能的用户接收机应能显示由访客呼叫机采集

的视频图像；视频采集装置应具有自动补光功能；

3 应能通过用户接收机手动控制开启受控门体的电锁；应能通过访客呼叫机让有权限的用户直接开锁；应根据安全管理的实际需要，选择是否允许通过管理机控制开启电锁；

4 系统在通话过程中，语音不应被其他非授权用户窃听；

5 当系统受控门开启时间超过预设时长、访客呼叫机防拆开关被触发时，应有现场告警提示信息；具有高安全需求的系统还应向管理中心发送告警信息；

6 管理机应具有设备管理和权限管理功能，宜具有通行事件管理、数据备份及恢复、信息发布等功能；

7 具有报警控制及管理功能的系统，报警控制和管理功能应满足国家现行有关标准的要求；

8 用户接收机可外接无线扩展终端，实现与用户接收机/访客呼叫机等设备的对讲、视频图像显示、接收报警信息等功能；

9 除已采取了可靠的安全管控措施外，不应利用无线扩展终端控制开启入户门锁以及进行报警控制管理。

6.4.13 电子巡查系统应按照预先编制的人员巡查程序，通过信息识读器或其他方式对人员巡查的工作状态（是否准时、是否遵守顺序等）进行监督管理。

6.4.14 电子巡查系统设计内容应包括巡查线路设置、巡查报警设置、巡查状态监测、统计报表、联动等，并应符合下列规定：

1 应能对巡查线路轨迹、时间、巡查人员进行设置，应能设置多条并发线路；

2 应能设置巡查异常报警规则；

3 应能在预先设定的在线巡查路线中，对人员的巡查活动状态进行监督和记录；应能在发生意外情况时及时报警；

4 系统可对设置内容、巡查活动情况进行统计，形成报表。

6.4.15 安全防范系统宜设计应急对讲系统，宜与既有的紧急广播和应急照明等系统联动。

6.4.16 安全防范系统及其组成设备(部件)的安全等级应根据不同的风险防范能力确定。系统中共享设备(部件)的安全等级应与相关联的设备(部件)的最高安全等级一致。安全等级的设计应符合国家现行有关标准的规定。

6.5 集成与联网设计

6.5.1 安全防范系统的集成设计应包括子系统的集成设计、总系统的集成设计,必要时还应考虑总系统与上一级管理系统的集成设计。

6.5.2 安全防范系统可通过独立设置的安全防范管理平台进行集成,也可基于某一子系统的管理平台进行集成。

6.5.3 应根据安全防范管理业务需求、系统资源联网共享、事件快速处置响应和系统运行安全可控等要求,选择系统集成与联网方式,确定系统架构。

6.5.4 对设备或系统进行互联时,应采用适宜的接口方法和通信协议,保证信息的有效提取和及时送达。

6.5.5 应对网络性能和任务调度策略进行规划和优化,确保系统对各类事件的信息快速传递和有效响应。

6.5.6 应根据信息安全的相关要求,合理规划系统内、外安全边界及安全管控措施,选择安全可控的硬件或软件产品。

6.5.7 应根据安全防范管理要求,合理规划各类、各级用户和设备的控制管理权限。

6.5.8 宜支持系统配置连接多种客户端界面。

6.5.9 入侵和紧急报警系统的集成联网,应能通过统一的管理平台实现设备和信息的集中管控,可有下列方式:

1 专用传输网络条件下的多级联网方式;

2 通过公共通信网络的多级联网方式;

3 通过公共通信网络的云平台联网方式;

4 安全防范管理平台收到报警信息而未在规定时间内处置

的，应自动向上级管理平台转报，并通过电话、短信、邮件等方式通知到相关负责人；

5 高风险保护对象防护现场的控制指示设备与接警中心管理平台之间应采用两条或以上独立的通信网络传输报警信号。

6.5.10 进行视频监控系统集成联网时，应能通过管理平台实现设备的集中管理和资源共享，可有下列方式：

1 模拟视频多级汇聚方式；

2 数字视频逐级汇聚方式；

3 基于云平台的视频统一管理方式；

4 视频监控系统与公共安全视频监控联网系统集成联网时，其传输、交换、控制协议应符合现行国家标准《公共安全视频监控联网系统信息传输、交换、控制技术要求》GB/T 28181 的要求。

6.5.11 出入口控制系统的集成联网设计可有下列方式：

1 多级联网实时数据集中汇聚、本地授权管理方式；

2 多级联网实时数据集中汇聚、集中授权管理方式。

6.5.12 复杂的综合应用模式的安全防范系统的集成联网方式应符合本标准第 4.2.4 条的规定。

6.5.13 对于多级联网的系统，各级安全防范管理平台和各子系统应能独立运行。

6.5.14 安全防范管理平台的故障不应影响各子系统的正常运行。某一子系统的故障不应影响安全防范管理平台和其他子系统的正常运行。上级安全防范管理平台的故障不应影响下级安全防范管理平台的正常运行。

6.5.15 安全防范系统中的承担数据库、信息分发、安全认证等重要功能的硬件或者软件应采用冗余设计，宜进行双机热备份。安全防范系统联网用的关键传输路由宜进行双路由配置。

6.5.16 当安全防范系统与其他电子信息系统集成联网时，其他电子信息系统的故障不应影响安全防范系统的正常运行。

6.6 安全性设计

6.6.1 安全防范系统所用设备、器材的安全性指标应符合现行国家标准《安全防范报警设备　安全要求和试验方法》GB 16796 和相关产品标准规定的安全性能要求。

6.6.2 安全防范系统的设计应防止造成对人员的伤害，并应符合下列规定：

1 系统所用设备及其安装部件的机械结构应有足够的强度，应能防止由于机械重心不稳、安装固定不牢、突出物和锐利边缘以及显示设备爆裂等造成对人员的伤害；

2 系统所用设备所产生的气体、X 射线、激光辐射和电磁辐射等应符合国家相关标准的要求，不能损害人体健康；

3 系统和设备应有防人身触电、防火、防过热的保护措施；

4 监控中心(控制室)的面积、温度、湿度、噪声、采光及环保要求、自身防护能力、设备配置、安装、控制操作设计、人机界面设计等均应符合人机工程学原理。

6.6.3 具有特殊防御功能的实体防护装置，如具有锐利边缘或触碰时对人体具有一定伤害的，应在安装区域显著位置设置警示标识。

6.6.4 安全防范系统的设计应保证系统的信息安全性，并应符合下列规定：

1 系统宜采用专用传输网络，有线公网传输和无线传输宜有信息加密措施；

2 根据安全管理需要，系统可对重要数据进行加密存储；

3 应有防病毒和防网络入侵的措施；

4 系统宜对用户和设备进行身份认证，宜对用户和设备基本信息、属性信息以及身份标识信息等进行管理；

5 系统运行的密钥或编码不应是弱口令，用户名和操作密码组合应不同；

6　当基于不同传输网络的系统和设备联网时，应采取相应的网络边界安全管理措施；

7　应符合国家有关密码管理的规定；

8　除符合以上规定外，各子系统还应符合各自信息安全的有关规定。

6.6.5　安全防范系统的设计应考虑系统的防破坏能力，并应符合下列规定：

1　入侵和紧急报警系统应具备防拆、断路、短路报警功能；

2　系统传输线路的出入端线应隐蔽，并有保护措施；

3　系统供电暂时中断恢复供电后，系统应能自动恢复原有工作状态，该功能应能人工设定；

4　系统宜有自检功能，对系统、设备、传输链路进行监测；

5　系统宜对故障、欠压等异常状态进行报警；

6　高风险保护对象的安全防范系统宜配置遭受意外电磁攻击的防护措施。

6.6.6　系统选用的设备以及设备的安装方式，不应引入安全隐患，不应对保护目标造成损害。

6.6.7　在具有易燃易爆物质的特殊区域，安全防范系统应有防爆措施并满足其行业的有关规定。

6.6.8　安全防范系统监控中心电场强度、磁场强度、磁感应强度、等效平面波功率密度的控制限值应符合现行国家标准《电磁环境控制限制》GB 8702 相关要求。

6.7　电磁兼容性设计

6.7.1　安全防范系统的电磁兼容性设计应综合考虑现场的电磁环境、系统电磁敏感度、电磁骚扰和周边其他系统的电磁敏感度等因素。

6.7.2　安全防范系统所用设备的静电放电抗扰度、电快速瞬变脉冲群抗扰度、浪涌(冲击)抗扰度应符合现行国家标准《安全防范报警设备电磁兼容抗扰度要求和试验方法》GB/T 30148 的相关规定。

6.7.3 安全技术防范系统设备设置和监控中心选址应远离大功率开关电源设备和工作频率相近的高频设备等强骚扰源，在无法避开时，应采取相应的抗干扰措施。

6.7.4 传输线路的抗干扰设计应符合下列规定：

1 安全防范系统线缆宜单独管槽敷设，可与相同信号电压等级的其他线路合用管槽；

2 220VAC 以上的供电电缆与信号传输电缆宜分开敷设，当受条件限制必须并行靠近敷设时，应采取屏蔽或隔离措施；

3 室内信号传输线缆、电梯安防专用电缆宜采取屏蔽措施。

6.7.5 防电磁骚扰设计应符合下列规定：

1 系统配置的设备保护柜/箱外壳开口应尽可能小，开口数量应尽可能少；

2 系统中的无线发射设备的电磁辐射频率、功率，非无线发射设备对外的杂散电磁辐射功率均应符合国家现行有关法规与技术标准的要求；

3 电源线进入屏蔽空间时应设置电源滤波器，控制线和信号线进入屏蔽空间时应设置信号滤波器，滤波器性能参数应符合现行国家标准《电磁屏蔽室工程技术规范》GB/T 50719 的要求。

6.7.6 监控中心防静电环境等级、防静电地面面层的表面电阻值和接地电阻值应符合现行国家标准《建筑电气工程电磁兼容技术规范》GB 51204 的相关要求。

6.8 可靠性设计

6.8.1 安全防范系统可靠性指标的分配应符合下列规定：

1 根据系统规模的大小和用户对系统可靠性的总要求，应将整个系统的可靠性指标进行分配；

2　系统所有子系统的平均无故障工作时间（MTBF）不应小于其 MTBF 分配指标；

3　系统所使用的所有设备、器材的平均无故障工作时间（MTBF）不应小于其 MTBF 分配指标。

6.8.2　采用降额设计时，应根据安全防范系统设计要求和关键环境因素或物理因素（应力、温度、功率等）的影响，使元器件、部件、设备在低于额定值的状态下工作。

6.8.3　采用简化设计时，应在完成规定功能的前提下，应采用尽可能简化的系统结构，尽可能少的部件、设备，尽可能短的路由，来完成系统的功能，以获得系统的最佳可靠性。

6.8.4　采用冗余设计时，应符合下列规定：

1　系统应采用储备冗余设计，系统的关键组件或关键设备应设置热（冷）备份；

2　系统主动冗余设计宜采用总体并联式结构或串-并联混合式结构。

6.9　可维护性设计

6.9.1　在安全防范工程的产品选型、工程施工、备品备件和工程技术文档编制等环节应进行可维护性设计。

6.9.2　产品选型的可维护性设计应符合下列规定：

1　系统的前端设备宜采用标准化、规格化、通用化设备以便维修和更换；

2　系统主机结构应模块化；

3　系统前端设备、系统主机和安全管理等的软件应模块化；

4　系统前端设备和系统主机宜具有自检、故障报警、故障代码和日志功能；

5　系统前端设备、系统主机和安全管理软件宜采用标准化通信协议，满足在线监测、故障定位、隐患排查和维护保障的要求。

6.9.3　工程施工的可维护性设计应符合下列规定：

1 系统线路接头应插件化，线端应做永久性标记；

2 设备安装或放置的位置应留有足够的维修空间；

3 传输线路应设置维修测试点；

4 关键线路或隐蔽线路应留有备份线。

6.9.4 备品备件应符合下列规定：

1 系统所用设备、部件、材料等，宜有足够的备件和维修保障能力；

2 系统软件应有备份和维护保障能力。

6.9.5 工程施工技术文档应符合下列规定：

1 应编制与安全防范工程现场一致的施工图；

2 应整理和归档与安全防范工程项目一致的系统的前端设备、系统主机和安全管理等的软硬件产品说明书、安装手册、维护手册等。

6.10 环境适应性设计

6.10.1 安全防范系统选用的设备和材料应满足其使用环境（如室内/外温度、湿度、大气压等）的要求，并应符合现行国家标准《安全防范报警设备环境适应性要求和试验方法》GB/T 15211 中相应环境类别的规定。

6.10.2 在海滨地区盐雾环境下工作的系统设备、部件、材料，应具有耐盐雾腐蚀的性能。

6.10.3 在有腐蚀性气体和易燃易爆环境下工作的系统设备、部件、材料，应采取符合国家现行相关标准规定的保护措施。

6.10.4 在有声、光、热、振动等干扰源环境中工作的系统设备、部件、材料，应采取相应的抗干扰或隔离措施。

6.10.5 设置在室外的设备、部件、材料，应根据现场环境要求做防晒、防淋、防冻、防尘、防浸泡等设计。其外壳防护等级宜不低于 IP54。

6.10.6 地埋设备的外壳防护等级应不低于 IP66。

6.11 防雷与接地设计

6.11.1 建于山区、旷野的安全防范系统，或前端设备装于楼顶、塔顶，或电缆端高于附近建筑物的安全防范系统，应按现行国家标准《建筑物防雷设计规范》GB 50057 的要求设置防雷装置。

6.11.2 建于建筑物内的安全防范系统，其防雷设计应采用等电位连接与共用接地系统的设计原则，并应满足现行国家标准《建筑物电子信息系统防雷技术规范》GB 50343 的要求。

6.11.3 安全防范系统的接地母线应采用铜导体，接地端子应有接地标识。采用共用接地装置时，共用接地装置电阻值应满足各种接地最小电阻值的要求。采用专用接地装置时，专用接地装置电阻值不应大于 4Ω；安装在室外前端设备的接地电阻值不应大于 10Ω；在高山岩石的土壤电阻率大于 2000Ω · m 时，其接地电阻值不应大于 20Ω。

6.11.4 安全防范系统进出建筑物的电缆，在进出建筑物处应采取防雷电感应过电压、过电流的保护措施。

6.11.5 监控中心内应设置接地汇集环或汇集排，汇集环或汇集排宜采用裸铜质导体，其截面积不应小于 $35mm^2$。

6.11.6 安全防范系统的重要设备应安装电涌保护器。电涌保护器接地端和防雷接地装置应作防雷等电位连接。防雷等电位连接带应采用铜导体，其截面积不应小于 $16mm^2$。

6.11.7 架空电缆吊线的两端和架空电缆线路中的金属管道应接地。

6.11.8 光缆金属加强芯、架空光缆金属接续护套应接地。

6.12 供 电 设 计

6.12.1 安全防范系统供电设计应符合现行国家标准《安全防范系统供电技术要求》GB/T 15408 的有关规定。

6.12.2 工作现场供电状况调查和用电功耗测算应符合下列

规定：

1　应根据安全防范系统的建设和运行需要，调查安全防范设备所在区域的各类电源的质量条件和负荷等级；

2　应按照测算的安全防范系统和设备功耗等数据对主电源功率容量做出基本规划。

6.12.3　主电源规划设计应符合下列规定：

1　应根据安全防范设备所在区域的市电网供电条件、安全防范系统各部分负载工作和空间分布的功耗特点、系统投资成本、控制现场安装条件和供电设备的可维修性等诸多因素，并结合安全防范系统所在区域的风险等级和防护级别，合理选择主电源形式及供电模式。

2　高风险单位或部位宜按现行行业标准《民用建筑电气设计规范》JGJ 16—2008 规定的一级中特别重要的负荷进行主电源配置。

3　主电源的容量配置应符合下列规定：

1)市电网做主电源时，电源容量应不小于系统或所带组合负载的满载功耗的 1.5 倍；

2)当备用电源如蓄电池等需要主电源补充电能时，应将备用电源的吸收功率计入相应负载总功耗中；

3)当电池作为主电源时，供电容量应满足安防系统或所带安防负载的使用要求。

4　主电源来自市电网时，安防系统接入端的指标应符合下列规定：

1)稳态电压偏移不宜大于±10%；

2)稳态频率偏移不宜大于±0.2Hz；

3)断电持续时间不宜大于 4ms；

4)谐波电压和谐波电流的限值宜满足现行国家标准《电能质量　公用电网谐波》GB/T 14549 的要求；

5)市电网供电制式宜为 TN-S 制。供电系统工作时，零线对地线的电压峰峰值不应高于36Vp-p。

5 主电源来自市电网时，供电系统配置应符合下列规定：

1)系统应按现行国家标准《电磁兼容 限值 对额定电流大于16A的设备在低压供电系统中产生的谐波电流的限值》GB/Z 17625.6的要求接入市电网；

2)当安防系统单点接入市电网，功耗大于或等于10kW时，应按照三相负载平衡原则组合各路负载设备。当分布接入市电网时，应注意接入的相线相序满足供电系统的安全要求。

6.12.4 备用电源和供电保障规划设计应符合下列规定：

1 应根据安全防范系统负载的重要程度、使用条件和运行安全需求(安全等级)，确定负载的类型。应根据应急负载的功耗分布情况，主电源的供电质量和连续供电保障能力，确定系统或安全防范设备的供电保障方式，是否配置备用电源、备用电源形式及其供电模式。高风险等级单位或部位宜配置备用电源。

2 备用电源应急供电时间应符合下列规定：

1)安全防范系统的主电源断电后，备用电源应在规定的应急供电时间内，保持系统状态，记录系统状态信息，并向安全防范系统特定设备发出报警信息；

2)应急供电时间应由防护目标的风险等级、防护级别和其他使用管理要求共同确定；

3)当市电网按现行行业标准《民用建筑电气设计规范》JGJ 16—2008所规定的一级及其以上级别的用电负荷配置时，根据系统外配置发电机等的受控能力，可降低安全防范系统的备用电源的应急供电时间配置要求；

4)入侵和紧急报警系统的应急供电时间不宜小于8h；

5)视频监控系统关键设备的应急供电时间不宜小于1h。

3 安全等级4级的出入口控制点执行装置为断电开启的设备时，在满负荷状态下，备用电源应能确保该执行装置正常运行不

应小于72h。

6.12.5 供电传输及其路由设计应符合下列规定：

1 供电系统可配置适当的配电箱/柜和可靠的供电线缆。供电设备和供电线缆应有实体防护措施，并应按照强弱电分隔的原则合理布局；

2 安全防范系统的电能输送主要采用有线方式的供电线缆。按照路由最短、汇聚最简、传输消耗最小、可靠性高、代价最合理、无消防安全隐患等原则对供电的能量传输进行设计，确定合理的电压等级，选择适当类型的线缆，规划合理的路由。

6.12.6 根据配电箱/柜配置，应与建筑和装修做好配电箱/柜的空间预埋预留配合设计。

6.12.7 供电设备选型与供电管理设计应符合下列规定：

1 应做好安全防范系统的供电设施的各类安装标识和运行标识；做好系统的能效管理和环保配置（如降低噪声等），应选择具有较高能效比和高功率因数的负载、变换器；

2 供电设备的供电能力应与所供电的安全防范子系统或设备的额定功率相适应；

3 应遵循安全、可靠、经济、适用、可管理、认证的原则进行选型配置供电设备。

6.13 信号传输设计

6.13.1 传输方式的选择应符合下列规定：

1 传输方式分为有线传输和无线传输两种方式；应根据系统规模、系统功能、现场环境和管理要求选择合适的传输方式；应优先选用有线传输方式；

2 选用的传输方式应保证信号传输的稳定、准确、安全、可靠；

3 报警主干线宜采用有线传输为主、无线传输为辅的双重报警传输方式；

4 高风险保护对象的安全防范工程应采用专用传输网络[专线和(或)虚拟专用网]。

6.13.2 传输线缆的选择应符合下列规定：

1 应结合传输信号特性、传输距离和使用环境等因素，选择适当类型的安防线缆。具体选择方法可按现行行业标准《安防线缆应用技术要求》GA/T 1406 有关规定执行。具体线缆选型可按现行行业标准《安防线缆》GA/T 1297 有关规定执行。

2 传输线缆的衰减、弯曲、屏蔽、防潮等性能应满足深化设计要求。

3 报警信号传输电缆的选择应符合下列规定：

1)耐压不应低于 AC250V，应有足够的机械强度；铜芯绝缘导线、电缆芯线的最小截面积应满足信号传输的电气性能和传输距离要求；

2)电缆芯数应根据系统防区类型、数量确定；

4 复合视频信号传输电缆的选择应符合下列规定：

1)应根据图像信号采用基带传输或射频传输，选择同轴电缆或具有相同传输性能的视频电缆或射频电缆；

2)电缆规格应依据电缆衰减特性、信号传输距离和系统设计要求确定；

3)电梯轿厢的视频电缆应采用电梯安防专用电缆。

5 数字视频信号传输电缆应选择同轴电缆或具有同等传输性能的其他类型电缆，并满足传输距离要求。

6 模拟音频信号传输电缆的选择应根据电缆衰减特性、信号传输距离及系统要求确定。

7 控制信号传输电缆的选择应根据电缆衰减特性、信号传输速率、距离及系统要求确定。

8 网络数据信号传输电缆的选择应根据数据传输速率、带宽及系统要求确定。

9 开关量信号传输电缆的选择应根据信号特性、传输功率

(载流量)及系统要求确定。

10 供电电缆的选择应根据供电距离、载流量及系统要求确定。

11 光缆的选择应符合下列规定：

1)光缆纤芯数目，应根据监视点的个数、监视点的分布情况和信号调制方式来确定，并留有一定的余量；

2)光缆结构及允许最小弯曲半径、最大抗拉力等机械参数，应满足信号传输的要求；

3)光缆类型和保护层，应适合光缆的敷设方式及使用环境的要求。

6.13.3 传输设备选型应符合下列规定：

1 接入公共电话网的设备应符合公共电话网入网要求；

2 无线发射装置、接收装置的发射频率、功率应符合国家无线电管理的有关规定；

3 应根据信号带宽、衰减情况、传输距离和实时传输要求，在电缆、光缆传输的适当位置加装均衡、放大、中继、收发、混合或耦合等装置；

4 网络传输交换设备应满足安全管理及数据处理的功能、性能等要求；

5 室外使用的光传输部件，应具有良好的密闭防水结构。

6.13.4 布线设计应符合下列规定：

1 网络布线系统的设计应符合现行国家标准《综合布线系统工程设计规范》GB 50311 的有关规定。

2 非网络布线系统的路由设计应符合下列规定：

1)路由应短捷、安全可靠，施工维护方便；

2)应避开恶劣环境条件或易使管道损伤的地段，不可避开时，应设计选择专用线缆或增加相应防护措施；

3)不宜交叉跨越其他管道等障碍物；

4)安防电缆与其他管线间距应满足防信号干扰的要求，不宜共管；

5)监控中心的值守区与设备区为两个独立物理区域且不相邻时，两个区域之间信号连接应采用双物理路由冗余设计，至少一路采用独立路由。

3 非网络布线系统室内线缆的敷设设计应符合现行行业标准《安防线缆应用技术要求》GA/T 1406 的有关规定，并应符合下列规定：

1)在新建的建筑物内或要求管线隐蔽的线缆应采用暗管敷设方式；

2)改、扩建工程使用的线缆，不能暗管敷设时，宜采用明管敷设方式；

3)电缆和电力线平行或交叉敷设时，其间距不得小于0.3m；电力线与信号线交叉敷设时，宜成直角；

4)采用明敷和非金属管(槽)敷设的信号传输电缆与具有强磁场、强电场的电气设备之间的净距离，宜大于1.5m，当采用屏蔽电缆或穿金属保护管或在金属封闭线槽内敷设时，宜大于0.8m。

4 监控中心的值守区与设备区为两个独立物理区域且不相邻时，两个区域之间的传输线缆应封闭保护，其保护结构的抗拉伸、抗弯折强度不应低于镀锌钢管。

5 来自高风险区域的线缆路由经过低风险区域时，应采取必要的防护措施。

6 出入口执行部分的输入线缆在该出入口的对应受控区、同权限受控区、高权限受控区以外的部分应封闭保护，其保护结构的抗拉伸、抗弯折强度不应低于镀锌钢管。

7 电缆沿支架或在线槽内敷设时应在合理位置固定。

8 线缆槽敷设截面利用率不应大于50%；线缆管敷设截面利用率不应大于40%。

9 架空线缆应根据安全、环境等因素，对悬挂方式、挂钩间距、线缆最低点、伸缩余兜参数、承拉元件等综合设计敷设措施。

10 直埋线缆应对线缆埋深、线缆保护等综合设计敷设措施。

11 应对不同系统线缆共用缆沟进行隔离设计。

12 管井孔预留、线缆共管和线缆保护应根据线缆类型、数量、敷设距离、使用环境等综合规划设计。

6.13.5 线缆管(槽)、沟、井、杆、柜(箱)的施工设计应符合下列规定:

1 线缆管(槽)的敷设应符合国家现行标准《综合布线工程设计规范》GB 50311、《安防线缆应用技术要求》GA/T 1406 和《建筑物防雷设计规范》GB 50057 的有关规定,并应结合电气连接、布线路由、施工工艺、防火阻燃、防雷接地等进行综合设计;

2 线缆沟应根据国家相关建筑规范要求,结合埋深、间隔距离、渗水保护等进行综合设计;

3 线缆井应按现行行业标准《民用建筑电气设计规范》JGJ 16 的有关规定,结合位置数量、工艺要求等进行综合设计;

4 线缆杆应按现行国家标准《通信线路工程设计规范》GB 51158 和《建筑物防雷设计规范》GB 50057 的有关规定,结合敷线需要、地形情况、路线负荷、气候条件和发展改建等进行综合设计;

5 机柜(箱)应按现行行业标准《通信系统用室外机柜安装设计规定》YD/T 5186 的有关规定,结合安装环境、供电和气候条件等进行综合设计。

6.14 监控中心设计

6.14.1 监控中心的位置和空间布局应符合下列规定:

1 监控中心的位置应远离产生粉尘、油烟、有害气体、强震源和强噪声源以及生产或贮存具有腐蚀性、易燃、易爆物品的场所,应避开发生火灾危险程度高的区域和电磁场干扰区域;

2 监控中心的值守区与设备区宜分隔设置;

3 监控中心的面积应与安防系统的规模相适应,应有保证值班人员正常工作的相应辅助设施。

6.14.2 监控中心的自身防护应符合下列规定：

1 监控中心应有保证自身安全的防护措施和进行内外联络的通信手段，并应设置紧急报警装置和留有向上一级接处警中心报警的通信接口；

2 监控中心出入口应设置视频监控和出入口控制装置；监视效果应能清晰显示监控中心出入口外部区域的人员特征及活动情况；

3 监控中心内应设置视频监控装置，监视效果应能清晰显示监控中心内人员活动的情况；

4 应对设置在监控中心的出入口控制系统管理主机、网络接口设备、网络线缆等采取强化保护措施；

5 监控中心的供电、接地与雷电防护设计应符合本标准第6.11节、第6.12节的相关规定。

6.14.3 监控中心的环境应符合下列规定：

1 监控中心的顶棚、壁板和隔断应采用不燃烧材料。室内环境污染的控制及装饰装修材料的选择应按现行国家标准的有关规定执行；

2 监控中心的疏散门应采用外开方式，且应自动关闭，并应保证在任何情况下均能从室内开启；

3 监控中心室内地面应防静电、光滑、平整、不起尘。门的宽度不应小于0.9m，高度不应小于2.1m；

4 监控中心内的温度宜为16℃～30℃，相对湿度宜为30%～75%，监控中心宜结合建筑条件采取适当的通风换气措施；

5 监控中心内应有良好的照明并设置应急照明装置，应采取措施减少作业面上的光幕反射和反射眩光；

6 监控中心不宜设置高噪声的设备，当必须设置时，应采取有效的隔声措施；

7 监控中心应采取防鼠害和防虫害措施。

6.14.4 监控中心的管线敷设和设备布局应符合下列规定：

1 监控中心的布线、进出线端口的设置、安装等，应符合本标准第6.13节的相关规定；

2 室内的电缆、控制线的敷设宜设置地槽；当不设置地槽时，也可敷设在电缆架槽、墙上槽板内，或采用活动地板；

3 根据机架、机柜、控制台等设备的相应位置，应设置电缆槽和进线孔，槽的高度和宽度应满足敷设电缆的容量和电缆弯曲半径的要求；

4 室内设备的排列应便于维护与操作，满足人员安全、设备和物料运输、设备散热的要求，并应满足本标准第6.6节和消防安全的规定；

5 控制台的装机数量应根据工程需要留有扩展余地；控制台的操作部分应方便、灵活、可靠；

6 控制台正面与墙的净距离不应小于1.2m，侧面与墙或其他设备的净距离，在主要走道不应小于1.5m，在次要走道不应小于0.8m；

7 机架背面和侧面与墙的净距离不应小于0.8m。

7 工程施工

7.1 施工准备

7.1.1 安全防范工程施工单位应根据深化设计文件编制施工组织方案，落实项目组成员，并进行技术交底。

7.1.2 应按照施工组织方案落实设备、器材、辅材的采购和进场。

7.1.3 进场施工前应对施工现场进行检查，符合下列要求方可进场施工：

1 施工作业场地、用电等均应符合施工安全作业要求；

2 施工现场管理需要的办公场地、设备设施存储保管场所、相关工程管理工具部署等均应符合施工管理要求；

3 使用道路及占用道路（包括横跨道路）情况均应符合施工要求；

4 允许同杆架设的杆路应符合施工要求；

5 与项目相关的已施工的预留管道、预留孔洞、地槽及预埋件等均应符合设计和施工要求；

6 敷设管道电缆和直埋电缆的路由状况应清楚，并已对各管道标出路由标志；

7 设备、器材、辅材、工具、机械以及通讯联络器材等应满足连续施工和阶段施工的要求。

7.1.4 进场施工前施工人员应熟悉施工图纸及有关资料，包括工程特点、施工方案、工艺要求、施工质量标准及验收标准等。

7.1.5 进场施工前应对施工人员进行安全教育和文明施工教育。

7.2 工程施工

7.2.1 应按深化设计文件和施工图纸进行施工，不得随意更改。

当工程变更时，应填写更改审核单并经批准。更改审核单应对更改内容、更改原因、更改情况等进行详细说明。

7.2.2 工程施工中应做好隐蔽工程的随工验收，并填写隐蔽工程随工验收单，经会签后方可生效。隐蔽工程随工验收单应对隐蔽工程内容、检查结果等进行详细说明。

7.2.3 管（槽）、沟、井、杆、机柜（箱）的施工应符合本标准第6.13.5条的规定。

7.2.4 线缆敷设应符合下列规定。

1 线缆敷设前应就线缆进行导通测试。

2 线缆敷设应符合本标准第6.13.4条的规定，线缆应自然平直布放，不应交叉缠绕、打圈，牵引力均衡。

3 线缆接续点和终端应进行统一编号、设置永久标识，线缆两端、检修孔等位置应设置标签。

4 同轴电缆应一线到位，中间无接头。

5 多芯电缆的弯曲半径应大于其外径的6倍，同轴电缆的弯曲半径应大于其外径的15倍，4对型网络数据电缆的弯曲半径应大于其外径的4倍，光缆的弯曲半径应大于光缆外径的10倍。

6 光缆敷设应符合下列规定：

1）敷设光缆前应对光纤进行检查，光纤应无断点，其衰耗值应满足设计要求；核对光缆长度，并应根据施工图的敷设长度来选配光缆；配盘时应使接头避开河沟、交通要道和其他障碍物；架空光缆的接头应设在杆旁1m以内；

2）敷设时应对光缆的牵引端头做好技术处理，应合理控制牵引力和牵引速度；牵引力加在加强芯上，其牵引力不应大于150kg，牵引速度应为10m/min；一次牵引的直线长度不应大于1km，光纤接头的预留长度不应小于8m。

7 穿管（槽）线缆敷设应符合下列规定：

1）线缆穿管前应检查保护管是否畅通，管口应加护圈，防止穿管时损伤导线；

2）导线在管内或线槽内不应有接头和扭结。导线接头应在接线盒内焊接或用端子连接。

8 架空线缆和直埋线缆敷设应符合本标准第 6.13.4 条的规定。

9 电缆沟线缆敷设，应敷设在沟道内的支架上或线槽内。当线缆进入建筑物后，线缆沟道与建筑物间应隔离密封。

10 管道线缆敷设应先清刷管道，不留有杂物。

11 特殊环境线缆敷设应符合下列规定：

1）跨越河流敷设的线缆，当有桥梁时应采用桥上管道或槽道敷设方式，在桥身伸缩接口处对敷设线缆作 3 个～5 个“S”弯的处理措施；

2）可能发生位移的土壤中（如沼泽地、流砂、大型建筑物附近）敷设线缆，应采取预留线缆长度、用板桩或排桩加固土壤等措施消除因土壤位移作用在线缆上的应力；

3）对于古建筑、石窟寺及石刻、古文化遗址、古墓葬等文物保护单位，应避免在文物本体上敷设管线；确需敷设时，应经文物管理部门同意，应尽可能减少对文物本体和环境的影响。

12 在研制、生产、使用、储存、经营和运输过程中可能出现易燃易爆的特殊环境，应按现行国家标准的有关规定，进行危险源辨识，根据其规定的危险场所分类，采用相对应的材料，保持安全距离，合理规划管线敷设的位置，严格遵守所规定的施工工艺方法。

7.2.5 设备安装应符合下列规定：

1 设备安装前应对设备进行规格型号检查、通电测试。设备安装应平稳、牢固、便于操作维护，避免人身伤害，并与周边环境相协调。

2 实体防护设备安装应符合下列规定：

1）建（构）筑物和土木结构类的实体防护屏障施工应符合设计施工图的要求；

2)实体防护加工制作的人工屏障、设备、装置的安装等应满足国家、行业相关施工标准及产品说明书、安装工艺等要求；

3)应避免对既有建(构)筑物、管线、水电气热设备等造成破坏。

3 入侵和紧急报警设备安装应符合下列规定：

1)各类探测器的安装点(位置和高度)应符合所选产品的特性、警戒范围要求和环境影响等；

2)入侵探测器的安装,应确保对防护区域的有效覆盖,当多个探测器的探测范围有交叉覆盖时应避免相互干扰；

3)周界入侵探测器的安装,应能保证防区交叉,避免盲区；

4)需要隐蔽安装的紧急按钮,应便于操作。

4 视频监控设备安装应符合下列规定：

1)摄像机、拾音器的安装具体地点、安装高度应满足监视目标视场范围要求,注意防破坏；

2)在强电磁干扰环境下,摄像机安装应与地绝缘隔离；

3)电梯厢内摄像机的安装位置及方向应能满足对乘员有效监视的要求；

4)信号线和电源线应分别引入,外露部分应用软管保护,并不影响云台转动；

5)摄像机辅助光源等的安装不应影响行人、车辆正常通行；

6)云台转动角度范围应满足监视范围的要求；

7)云台应运转灵活、运行平稳。云台转动时监视画面应无明显抖动。

5 出入口控制设备安装应符合下列规定：

1)各类识读装置的安装应便于识读操作；

2)感应式识读装置在安装时应注意可感应范围,不得靠近高频、强磁场；

3)受控区内出门按钮的安装,应保证在受控区外不能通过识读装置的过线孔触及出门按钮的信号线；

4）锁具安装应保证在防护面外无法拆卸。

6 停车库（场）安全管理设备安装应符合下列规定：

1）读卡机（IC卡机、磁卡机、出票读卡机、验卡票机）与挡车器安装应平整，保持与水平面垂直、不得倾斜，读卡机应方便驾驶员读卡操作；当安装在室外时，应考虑防水及防撞措施；

2）读卡机与挡车器的中心间距应符合设计要求或产品使用要求；

3）读卡机（IC卡机、磁卡机、出票读卡机、验卡票机）与挡车器感应线圈埋设位置与埋设深度应符合设计要求或产品使用要求；感应线圈至机箱处的线缆应采用金属管保护，并注意与环境相协调；

4）智能摄像机安装的位置、角度，应满足车辆号牌字符、号牌颜色、车身颜色、车辆特征、人员特征等相关信息采集的需要；

5）车位状况信号指示器应安装在车道出入口的明显位置。安装在室外时，应考虑防水措施；

6）车位引导显示器应安装在车道中央上方，便于识别与引导；

7）停车库（场）内其他安防设备安装应符合本标准相关规定。

7 楼寓对讲设备安装应符合下列规定：

1）访客呼叫机、用户接收机的安装位置、高度应合理设置；

2）应调整访客呼叫机内置摄像机的方位和视角于最佳位置。

8 电子巡查设备安装应符合下列规定：

1）在线巡查或离线巡查的信息采集点（巡查点）的位置应合理设置；

2）现场设备的安装位置应易于操作，注意防破坏。

9 防爆安全检查设备安装应符合下列规定：

1）X 射线行李检查设备的安装场地地面应平整；

2）承重和空间应能满足设备重量、尺寸、通道的要求；

3）通过式金属探测门设备的安装应选择平整、坚实的场地，落地应平稳，机械连接和构件应牢固。

7.2.6 监控中心设备安装应符合下列规定：

1 控制、显示等设备屏幕应避免光线直射，当不可避免时，应采取避光措施；在控制台、机柜（架）、电视墙内安装的设备应有通风散热措施，内部接插件与设备连接应牢靠；

2 控制台、机柜（架）、电视墙不应直接安装在活动地板上；

3 设备金属外壳、机架、机柜、配线架、各类金属管道、金属线槽、建筑物金属结构等应进行等电位联结并接地；

4 设备间设备安装应考虑设备安置面的承重能力，必要时应安装散力架；

5 显示屏的拼接缝、平整度、拼接误差等应符合现行国家标准《视频显示系统工程技术规范》GB 50464 的有关规定；

6 线缆的走线、绑扎、预留等应符合现行行业标准《安防线缆应用技术要求》GA/T 1406 的有关规定。

7.2.7 供电、防雷与接地施工应符合下列规定：

1 系统的供电设施应符合本标准第 6.12 节的规定；摄像机等设备宜采用集中供电，当供电线（低压供电）与控制线合用多芯线时，多芯线与视频线可一起敷设；

2 系统防雷与接地设施的施工应按本标准第 6.11 节的相关要求进行；

3 当接地电阻达不到要求时，应在接地极回填土中加入无腐蚀性长效降阻剂；当仍达不到要求时，应经过设计单位的同意，采取更换接地装置的措施；

4 监控中心内接地汇集环或汇集排的安装应符合本标准第

6.11.5 条的规定，安装应平整。接地母线的安装应符合本标准第6.11.3 条的规定，并用螺丝固定；

5 室外设备应按设计文件要求进行防雷与接地施工，并应符合本标准第 6.11 节的相关规定。

7.2.8 线缆接续连接应符合下列规定：

1 电缆与电气设备之间的连接，连接器件应与电气设备的性能相符，电缆外接部分不得外露，并留有适当余量；

2 电缆连接和中间接续应符合现行行业标准《安防线缆应用技术要求》GA/T 1406 的有关规定，做到线序正确、连接可靠、密封良好；

3 网络数据电缆连接应按国家现行标准《综合布线系统工程验收规范》GB 50312 和《安防线缆应用技术要求》GA/T 1406 的有关规定执行；

4 光缆接续应符合下列规定：

1) 光缆敷设后，应检查光纤有无损伤；

2) 应采用熔接方式接续；不得损伤光纤，纤序对应相接，应采用光功率计或其他仪器进行监视，使接续损耗达到最小；

3) 光缆加强芯在接头盒内必须固定牢固，光缆熔接处应加以保护和固定；

4) 光缆接续完成后，应测量通道的总损耗，宜测量接续点的损耗，并记录光纤通道全程波导衰减特性曲线。

7.3 系统调试

7.3.1 系统调试前，应根据设计文件、设计任务书、施工计划，编制系统调试方案。

7.3.2 系统调试过程中，应及时、真实填写调试记录。

7.3.3 系统调试完毕后，应编写调试报告，系统主要功能、性能指标应满足设计要求。

7.3.4 系统调试准备应符合下列规定：

1 应按本标准第7.2节要求，检查工程的施工质量；对施工中出现的错线、虚焊、断路或短路等问题应予以解决，并有文字记录；

2 应按深化设计文件查验已安装设备的规格、型号、数量、备品备件等；

3 系统在通电前应检查供电设备的电压、极性、相位等；

4 应对各种有源设备逐个进行通电检查，工作正常后方可进行系统调试；

5 应根据业务特点对网络、系统的配置进行合理规划，确保交换传输、安防管理系统的功能、性能符合设计要求，并可承载各项业务应用。

7.3.5 系统调试应符合下列规定：

1 应对照系统调试方案，对各系统软硬件设备进行现场逐一设置、操作、调整、检查，其功能性能等指标应符合设计文件和本标准第6章的相关要求。

2 实体防护系统调试应包括活动式的人工屏障、设备、装置的动力电源输入、控制与信号传输、链接、闭锁、止停等。

3 入侵和紧急报警系统调试应至少包括下列内容：

1)探测器的探测范围、灵敏度、报警后的恢复、防拆保护等；

2)紧急按钮的报警与恢复；

3)防区、布撤防、旁路、胁迫警、防破坏及故障识别、告警、用户权限等设置、操作、指示/通告、记录/存储、分析等；

4)系统的报警响应时间、联动、复核、漏报警等；

5)入侵和紧急报警系统的其他功能。

4 视频监控系统调试应至少包括下列内容：

1)摄像机的监控覆盖范围，焦距、聚焦及设备参数等；

2)摄像机的角度或云台、镜头遥控等，排除遥控延迟和机械冲击等不良现象；

3)拾音器的探测范围及覆盖效果；

4)监视、录像、打印、传输、信号分配/分发、控制管理等功能；

5)视音频的切换/控制/调度、显示/展示、存储/回放/检索，字符叠加、时钟同步、智能分析、预案策略、系统管理等；

6)当系统具有报警联动功能时，应检查与调试自动开启摄像机电源、自动切换音视频到指定监视器、自动实时录像等；系统应叠加摄像时间、摄像机位置(含电梯楼层显示)的标识符，并显示稳定；当系统需要灯光联动时，应检查灯光打开后图像质量是否达到设计要求；

7)监视图像与回放图像的质量满足目标有效识别的要求。在正常工作照明环境条件下，图像质量不应低于现行国家标准《民用闭路监视电视系统工程技术规范》GB 50198 五级损伤评分制所规定的四分要求；

8)视音频信号的存储策略和计划，存储时间满足设计文件和国家相关规范要求；

9)视频监控系统的其他功能。

5　出入口控制系统调试应至少包括下列内容：

1)识读装置、控制器、执行装置、管理设备等调试；

2)各种识读装置在使用不同类型凭证时的系统开启、关闭、提示、记忆、统计、打印等判别与处理；

3)各种生物识别技术装置的目标识别；

4)系统出入授权/控制策略，受控区设置、单/双向识读控制、防重入、复合/多重识别、防尾随、异地核准等；

5)与出入口控制系统共用凭证或其介质构成的一卡通系统设置与管理；

6)出入口控制子系统与消防通道门和入侵报警、视频监控、电子巡查等子系统间的联动或集成；

7）指示/通告、记录/存储等；

8）出入口控制系统的其他功能。

6 停车库（场）安全管理系统调试应至少包括下列内容：

1）读卡机、检测设备、指示牌、挡车/阻车器等；

2）读卡机刷卡的有效性及其响应速度；

3）线圈、摄像机、射频、雷达等检测设备的有效性及响应速度；

4）挡车/阻车器的开放和关闭的动作时间；

5）车辆进出、号牌/车型复核、指示/通告、车辆保护、行车疏导等；

6）与停车库（场）安全管理系统相关联的停车收费系统设置、显示、统计与管理；

7）停车库（场）安全管理系统的其他功能。

7 楼寓对讲系统调试应至少包括下列内容：

1）访客呼叫机、用户接收机、管理机等；

2）可视访客呼叫机摄像机的视角方向，保证监视区域图像有效采集；

3）对讲、可视、开锁、防窃听、告警、系统联动、无线扩展等；

4）警戒设置、警戒解除、报警和紧急求助等；

5）设备管理、权限管理、事件管理、数据备份及恢复、信息发布等；

6）楼寓对讲系统的其他功能。

8 电子巡查系统调试应至少包括下列内容：

1）识读装置、采集装置、管理终端等；

2）巡查轨迹、时间、巡查人员的巡查路线设置与一致性检查；

3）巡查异常规则的设置与报警验证；

4）巡查活动的状态监测及意外情况的及时报警；

5）数据采集、记录、统计、报表、打印等；

6)电子巡查系统的其他功能。

9　防爆安全检查系统调试应至少包括下列内容：

1)X射线安全检查设备的传送带速度（通过率）、手动急停（紧急控制）、图像处理显示、不穿透区域报警、计数或危险品图形识别、网络传送实时数据等；

2)通过式金属探测门的探测灵敏度、通行速度、分区报警方式、报警指示延续时间等；

3)炸药探测仪的开机时间、探测分析时间、声光报警、报警恢复时间等；

4)危险液体检查仪对玻璃、塑料、金属、陶瓷等各种常见包装材料中液态物品的非侵入式检测，以及连续探测、声光报警等；

5)车底成像安全检查系统的成像效果、监视范围、通行速度、报警响应等；

6)安全检查信息存储策略，检测数据存储时间应满足设计文件和国家相关规范要求；

7)防爆安全检查系统的其他功能。

10　系统集成联网调试应至少包括下列内容：

1)根据系统调试方案，开展系统功能、性能、安全性的调试、检查和验证。

2)根据设计要求，对安全防范管理平台进行如下全部或部分的调试：

——系统用户、设备等操作和控制权限；

——系统间的联动控制；

——报警、视频图像等各类信息的存储管理、检索与回放；

——设备统一编址、寻址、注册和认证等管理；

——用户操作、系统运行状态等的显示、记录、查询；

——数据统计、分析、报表；

——系统及设备时钟自动校时,计时偏差应满足相关管理要求;
——报警或其他应急事件预案编制、预案执行、过程记录;
——资源统一调配和应急事件快速处置;
——各级安全防范管理平台或分平台之间以及与非安防系统之间联网,实现信息的交换共享、传递显示;
——视音频信息结构化分析、大数据处理,目标自动识别、风险态势综合研判与预警;
——系统和设备运行状态实时监控与故障发现;
——系统、设备及传输网络的安全监测与风险预警。

3)安全防范管理平台和各子系统的独立运行。

4)完善优化安全防范各系统和(或)安全防范管理平台功能性能。

5)系统集成联网设计要求的其他功能。

7.3.6 供电、防雷与接地设施的检查应至少包括下列内容:

1 检查系统的主电源和备用电源的容量;

2 分别用主电源和备用电源供电,检查电源自动转换和备用电源的自动充电功能;

3 当系统采用稳压电源时,检查其稳压特性;当采用UPS作为备用电源时,检查其自动切换的可靠性、切换电压值及容量;

4 检查配电箱的配出回路数量,零线对地的电压峰值;

5 检查防雷与接地装置的连接情况、系统设备的等电位连接情况,测试室外设备和监控中心的接地电阻。

8 工程监理

8.1 一般规定

8.1.1 安全防范工程监理应包括安全防范工程的施工、工程初步验收与系统试运行等阶段进行的监理工作，其中施工阶段的监理应包括施工准备的监理、工程施工的监理和系统调试的监理。

8.1.2 安全防范工程的监理应按照质量控制、进度控制、资金控制、合同管理、信息管理及组织协调的要求开展工作，同时还应履行安全生产管理职责。

8.1.3 监理单位应在现场派驻项目监理机构，并将监理机构组织形式、人员构成及监理机构负责人的任命书面通知项目管理机构。

8.1.4 监理人员应包括总监理工程师、专业监理工程师、监理员，可设总监理工程师代表。总监理工程师、总监理工程师代表、专业监理工程师应具有相应的技术能力，同时，负责安全防范工程监理的总监理工程师代表应具有 5 年及以上的安全防范工程实践经验，负责安全防范工程监理的专业监理工程师应具有 3 年及以上的安全防范工程实践经验。

8.1.5 监理规划、监理细则应符合现行国家标准《建设工程监理规范》GB/T 50319—2013 第 4 章的规定。

8.1.6 项目监理机构在工程监理过程中发现不合格项时，应向施工单位下达整改通知，检查整改结果，并填写不合格项处置记录，报送项目管理机构备案。

8.1.7 安全防范工程监理除应符合本章规定外，尚应符合现行国家标准《建设工程监理规范》GB/T 50319 的相关规定。

8.2 施工准备的监理

8.2.1 项目监理机构应对施工单位的资质及相关人员的资格进行审核。

8.2.2 项目监理机构应组织项目管理机构、设计单位、施工单位对深化设计文件、施工图纸进行会审确认。

8.2.3 项目监理机构应组织项目管理机构、施工单位对施工组织方案进行会审确认。

8.2.4 项目监理机构应组织项目管理机构、施工单位召开施工安全会议,监督落实施工安全措施。

8.2.5 在收到设备器材进场通知后,项目监理机构应在施工现场对进场设备器材进行核检,可根据要求进行见证取样。

8.3 工程施工的监理

8.3.1 安全防范工程施工达到开工条件时,应由总监理工程师签发开工通知书。

8.3.2 根据深化设计文件与实施过程的实际差异,项目监理机构应对工程变更进行监督检查。

8.3.3 项目监理机构应依据监理细则对隐蔽工程、关键节点和工序进行旁站。

8.3.4 项目监理机构应依据深化设计文件和相关技术标准对隐蔽工程进行随工验收,签署验收意见。

8.3.5 项目监理机构应根据深化设计文件、相关施工规范和本标准第 7.2.3 条的要求,对管(槽)、沟、井、杆、机柜(箱)的施工工艺、施工质量等进行监督检查。

8.3.6 项目监理机构应根据深化设计文件、相关施工规范和本标准第 7.2.4 条的要求,对线缆敷设的施工工艺、施工质量等进行监督检查。

8.3.7 项目监理机构应根据深化设计文件、相关施工规范和本标准第 7.2.5 条、第 7.2.6 条的要求，对实体防护、入侵和紧急报警、视频监控、出入口控制、停车库（场）安全管理、楼寓对讲、电子巡查、防爆安全检查以及监控中心等设备的安装位置、安装工艺、安装质量等进行监督检查。

8.3.8 项目监理机构应根据深化设计文件、相关施工规范和本标准第 7.2.7 条的要求，对安全防范工程供电、防雷与接地的位置、施工工艺、施工质量等进行监督检查。

8.3.9 项目监理机构应根据深化设计文件、相关施工规范和本标准第 7.2.8 条的要求，对线缆接续的施工工艺、施工质量等进行监督检查。

8.4 系统调试的监理

8.4.1 项目监理机构应组织项目管理机构、施工单位对系统调试方案进行确认。

8.4.2 项目监理机构应监督施工单位及时、真实的记录系统调试情况。

8.4.3 项目监理机构应监督施工单位按照设计方案和项目管理机构的要求对系统的初始化数据进行设置。

8.4.4 项目监理机构应对全部的紧急报警功能、视频监控系统的联动功能（监视器图像显示联动、照明联动、报警声光/地图显示联动等）、出入口控制系统与所有消防通道门的应急疏散及联动功能的调试过程进行旁站。

8.4.5 调试完成后，项目监理机构应对系统的设置、切换、控制、管理、联动等主要功能进行检查。

8.5 工程初步验收与系统试运行的监理

8.5.1 项目监理机构应对施工单位提供的培训计划、培训资料以及最终培训效果进行监督检查。

8.5.2 项目监理机构应组织项目管理机构、设计单位、施工单位等成立初步验收小组，根据设计任务书或工程合同提出的设计、使用要求对工程进行初步验收，并形成初步验收报告。

8.5.3 对初步验收中发现的问题，项目监理机构应以监理通知单的形式告知施工单位进行整改，并对整改落实情况进行确认。

8.5.4 总监理工程师应组织专业监理工程师审查施工单位报送的试运行计划，并签署审核意见，经项目管理机构批准后方可实施。

8.5.5 项目监理机构应对试运行记录的及时性、真实性、完整性进行监督检查，对试运行中发现的问题以监理通知单的形式告知施工单位进行整改，并对整改落实情况进行确认。

8.5.6 总监理工程师应组织专业监理工程师审查项目管理机构提供的试运行报告、施工单位提供的日常操作和应急处理手册等，审查通过后应由总监理工程师签署审核意见。

8.5.7 系统试运行完成后，项目监理机构应对试运行记录、试运行报告及初验报告存档管理。工程峻工后，项目监理机构应编制工程项目监理总结报告，整理工程监理全部过程文件并移交项目管理机构。

9 工程检验

9.1 一般规定

9.1.1 安全防范工程竣工验收前，应由符合条件的检验机构对安全防范工程的系统架构、实体和电子防护的功能性能、系统安全性、电磁兼容性、防雷与接地、系统供电、信号传输、设备安装及监控中心等项目进行检验。

9.1.2 工程检验应依据竣工文件和国家现行有关标准，检验项目应覆盖工程合同、深化设计文件及工程变更文件的主要技术内容。

9.1.3 工程检验所使用的仪器、仪表必须经检定或校准合格，且检定或校准数据范围应满足检验项目的范围和精度的要求。

9.1.4 工程检验程序应符合下列规定：

1 受检单位应提出申请，并至少提交工程合同、深化设计文件、工程变更文件等资料；

2 检验机构应在实施工程检验前根据本标准和提交的资料确定检验范围，并制定检验方案和实施细则；

3 检验人员应按照检验方案和实施细则进行现场检验；

4 检验完成后应编制检验报告，并做出检验结论。

9.1.5 工程检验应对系统设备按产品类型及型号进行抽样，抽样数量应符合下列规定：

1 同型号产品数量≤5时，应全数检验；

2 同型号产品数量＞5时，应根据现行国家标准《计数抽样检验程序 第1部分：按接收质量限(AQL)检索的逐批检验抽样计划》GB/T 2828.1—2012中的一般检验水平Ⅰ进行抽样，且抽样数量不应少于5；

3 高风险保护对象安全防范工程的检验,可加大抽样数量。

9.1.6 工程检验中有不合格项时,允许改正后进行复检。复检时抽样数量应加倍,复检仍不合格则判该项不合格。

9.1.7 安全防范工程交付使用后,可进行系统运行检验。

9.2 系统架构检验

9.2.1 系统架构的检验项目、检验要求及检验方法应符合表9.2.1的要求。

表9.2.1 系统架构的检验项目、检验要求及检验方法

序号	检验项目	检验要求	检验方法
1★	系统配置、资源	各子系统的配置资源应与竣工文件一致	检查各子系统的设置、数量、位置等
		系统接入的信息资源应与竣工文件一致	检查系统联网的信息资源及各资源的接入方式
		系统各级监控中心、机房、安全防范管理平台的设置应与竣工文件一致	检查系统配置的监控中心,分控中心及设备机房等的数量、位置及面积,检查安全防范管理平台、客户端或分平台的位置、数量,检查用户终端的数量、权限设置、位置
2	集成联网方式	系统采用的集成联网方式应与竣工文件一致	检查系统集成联网和系统联动的实现方式
3	传输网络	系统采用的传输网络类型、拓扑结构应与竣工文件一致	检查系统的传输网络类型、数量、配置和采用的拓扑结构
4	存储管理	系统采用的存储模式、存储地点、管理方式应与竣工文件一致	检查系统采用的存储模式、存储地点、管理方式
5	系统供电	系统采用的供电模式应与竣工文件一致	检查系统采用的供电模式、主备电源的配置、前端设备供电方式
6	安全措施	系统采取的安全措施应与竣工文件一致	检查系统对接入设备、数据传输、访问控制、授权管理等的安全配置方式以及不同网络边界的隔离方式

续表 9.2.1

序号	检验项目	检验要求	检验方法
7	其他项目	系统涉及的系统架构其他项目应符合国家现行有关标准、工程合同及竣工文件的要求	按照国家现行有关标准、工程合同及竣工文件中的要求进行

注：表格中带"★"的项目为运行检验必检项目。

9.3 实体防护检验

9.3.1 实体防护的检验项目、检验要求及检验方法应符合表9.3.1的要求。

表 9.3.1 实体防护的检验项目、检验要求及检验方法

序号	检验项目		检验要求	检验方法
1	周界实体防护	周界实体屏障	周界实体屏障的位置应符合竣工文件要求，周界实体屏障的防护面一侧的区域内不应有可供攀爬的物体或设施。有防爆安全要求的，应设置安全距离	检查周界实体屏障的设置位置、数量、周界实体屏障的防护面一侧的区域内的物体或设施；对有防爆安全要求的，测量实体屏障与保护对象之间的距离
			单层或多层周界实体屏障的设置应符合竣工文件要求，多层周界实体屏障之间宜建立清除区	检查单层或多层周界实体屏障的设置位置、数量，对设置的多层周界实体屏障，测量屏障之间的距离
			周界实体屏障的高度、宽度、厚度应符合竣工文件要求	测量周界实体屏障的高度、宽度、厚度；测量防攀越实体屏障顶部防护装置高度和角度、网格尺寸，检查其结构形式；测量通透式实体屏障的横向和纵向间隙
			防攀越实体屏障的高度、顶部防护装置、网格尺寸应符合竣工文件要求，应无着力点、支撑点和抓握点	测量防攀越实体屏障高度、顶部防护装置高度和角度、网格尺寸，检查其结构形式

续表 9.3.1

序号	检验项目		检验要求	检验方法
1	周界实体防护	周界实体屏障	通透式实体屏障的空隙尺寸应符合竣工文件要求	测量通透式实体屏障的横向和纵向间隙
			穿越周界的河道、涵洞、管廊等孔洞，应采取相应的实体防护措施	对穿越周界的河道、涵洞、管廊等孔洞，检查采取的实体防护措施
2		出入口实体屏障	出入口通道设置的通道位置、数量、通道宽度、通道类型应符合竣工文件要求	检查出入口通道设置的位置、数量和通道类型，测量通道宽度
			人员、车辆出入口宜分开设置。可设置有人值守的警卫室或安全岗亭	检查人员和车辆出入口、警卫室或安全岗亭的设置位置、数量
			车辆出入口及相关道路采取的车辆限速措施应符合竣工文件要求。出入口可设置车辆检查管理区。可设置防车辆撞击和爆炸袭击的实体屏障。防车辆尾随时，应采用封闭式廊道、联动互锁门等方式，宜与电子防护系统联合设置	检查采取的车辆限速措施、车辆检查管理区、防车辆撞击和爆炸袭击的实体屏障的设置位置、数量。当防车辆尾随时，检查采取的防尾随方式和电子防护系统的设置
			防行人穿越和攀越的出入口实体屏障的有效防护高度、结构与孔洞尺寸应符合竣工文件要求。防尾随门的设置应符合竣工文件要求	测量防护面的高度、孔洞尺寸、蹬踏支撑部位的高度，检查防尾随门的设置位置、类型、数量
3★		车辆实体屏障	可在周界、出入口、建(构)筑物外广场等区域或部位设置被动式车辆实体屏障和主动式车辆实体屏障	检查车辆实体屏障的类型、安装位置、数量

续表 9.3.1

序号	检验项目		检验要求	检验方法
3★	周界实体防护	车辆实体屏障	车辆实体屏障的高度、结构强度、固定方式、材质材料应符合竣工文件要求	检查车辆实体屏障的固定方式，测量车辆实体屏障的高度，核查车辆实体屏障的产品检测报告中所采用的材料和结构强度
			有防爆炸要求的车辆实体屏障，设置的安全距离应符合竣工文件要求	对有防爆炸要求的车辆实体屏障，测量车辆实体屏障与保护对象之间的距离
4★		安防照明与警示标志	安防照明的设置、照射的区域和照度应符合竣工文件要求。安防照明宜与电子防护系统联动	检查采取的安防照明措施、位置、数量、照射的区域，测量安防照明的照度；满足联动条件后，测试联动效果
			应在必要位置设置明显的警示标志，警示标志尺寸、颜色、文字、图像、标识应符合竣工文件要求	检查警示标志的位置、颜色、文字、图像和标识等，测量警告标志的尺寸
5	建(构)筑物实体防护		建(构)筑物场地道路设置的安全距离、道路线形和行进路线应符合竣工文件要求	测量建(构)筑物场地道路与保护对象或其所在的建筑物外侧墙体的距离，检查道路线形和行进路线
			建(构)筑物内部的公共区域、办公区域、重点区域的划分应符合竣工文件要求。重点区域宜设置独立出入口。通道宜避免人员隐藏和藏匿。重要保护所在部位或区域宜设置专用通道。公共停车场宜远离重要保护目标。报警响应人员的驻守位置应保障应急响应、现场处置的需要	检查建(构)筑物内部区域的公共区域、办公区域、重点区域的划分情况；检查重点区域的出入口设置；检查通道设置、公共停车场的设置、报警响应人员的驻守位置

续表 9.3.1

序号	检验项目	检验要求	检验方法
5	建(构)筑物实体防护	保护目标具有易燃、易爆、有毒、放射性等特性时,其存放场所或独立建(构)筑物应设置在隐蔽和远离人群的位置	检查具有易燃、易爆、有毒、放射性等特性保护目标的存放场所或独立建(构)筑物的设置位置
		建(构)筑物的洞口、管沟、管廊、吊顶、风管、桥架、管道等空间尺寸能够容纳人隐蔽进入时,应采用实体屏障或实体构件进行封闭和阻挡	检查建(构)筑物的洞口、管沟、管廊、吊顶、风管、桥架、管道等,对于能够容纳人隐蔽进入的部分检查采用的实体屏障或实体构件
		对具有防盗安全要求的保护目标,其所在的部位或区域采用的防盗安全门和安全防盗窗的安全等级应符合竣工文件的要求;具有防爆炸和(或)防子弹和(或)防砸要求的保护目标的门窗,采用的防爆炸和(或)防弹和(或)防砸玻璃的安全等级应符合竣工文件要求	检查门窗的安装位置、采用的玻璃及竣工文件中要求的安全等级,分别核查门、窗、玻璃的产品检测报告
		金库等特殊保护目标库房总库门应采用具有防破坏、防火、防水等相应能力的安全门	检查库房总库门配置位置、数量,核查安全门的产品检测报告
6★	实体装置	根据保护目标的安全需求配置的实体装置应具备防窥视、防砸、防撬、防弹、防爆炸等相应防护能力,防盗保险柜(箱)、物品展示柜、防护罩、保护套等实体装置的设置应符合竣工文件要求	检查实体装置的配置位置、数量,核查实体装置和保险柜(箱)等产品的检测报告

续表 9.3.1

序号	检验项目	检验要求	检验方法
7	其他项目	对系统涉及的实体防护其他项目应符合国家现行有关标准、工程合同及竣工文件的要求	按照国家现行有关标准、工程合同及系统竣工文件中的要求进行

注：表格中带"★"的项目为运行检验必检项目。

9.4 电子防护检验

9.4.1 安全防范管理平台的检验项目、检验要求及检验方法应符合表 9.4.1 的要求。

表 9.4.1 安全防范管理平台的检验项目、检验要求及检验方法

序号	检验项目	检验要求	检验方法
1	集成管理	应能对安全防范各子系统进行控制与管理，实现各子系统的高效协同工作	授权用户通过平台对电子防护各子系统受控设备进行控制，检查各子系统设备运行状态、控制效果；通过平台对应急预案进行添加、删除、编辑等操作
2★	信息管理	应能实现系统中报警、视频图像等各类信息的存储管理、检索与回放	授权用户通过平台对报警、视频的历史记录分别以时间、地点、类型或性质等条件进行检索、回放，对记录存储位置、时间格式、溢出处理方式等参数进行设置
3	用户管理	应能对系统用户进行创建、修改、删除和查询，对系统用户划分不同的操作和控制权限	对不同的用户进行权限设置、增加和删除用户，对不同用户的操作权限、范围分别进行不同设置，采用设置的不同权限用户对设备进行控制、管理
4	设备管理	应能对安全防范系统的设备在线状态进行监测，宜对系统内的设备进行统一编址、寻址、注册和认证等管理	授权用户通过平台查看设备的在线状态，现场选取设备进行断线、连接等操作，查看平台对其状态的显示，对系统内的设备进行编址、寻址、注册和认证等管理操作

续表 9.4.1

序号	检验项目	检验要求	检验方法
5*	联动控制	应能实现相关子系统间的联动，并以声和（或）光和（或）文字图形方式显示联动信息	触发联动条件，同时通过平台核查声光、文字等形式的联动提示信息，并查看相关设备动作效果
6	日志管理	应能对系统用户的操作、系统运行状态等进行记录、查询、显示	授权用户通过平台调阅系统运行日志和操作日志，查看日志内容，包括设备在线/离线运行状态、报警信息、用户登录/注销、参数修改操作的时间等历史记录；对历史记录进行检索、显示；检查系统运行状态记录与实际运行状态
7	统计分析	应能对系统数据进行统计、分析，生成相关报表	授权用户通过平台选取历史数据，查看统计或分析结果及生成的报表
8*	系统校时	应能对系统及设备的时钟进行自动校时，计时偏差应满足管理要求	调整各系统设备的时钟，通过系统中的校时服务器或其他设备设定系统自动校时参数，满足校时条件后，查看系统时钟、设备时钟与标准时钟之间的偏差
9	预案管理	应能针对不同的报警或其他应急事件编制、执行不同的处置预案，并对预案的处置过程进行记录	对应急预案进行编制、不同预案进行处置，检查处置过程的相关记录
10	人机交互	系统软件应采用中文人机交互界面	检查平台的操作菜单、指令、帮助文件
11	联网共享	应能支持安全防范系统各级管理平台或分平台之间以及与非安防系统之间的联网，实现信息交换与共享	检查本级平台与上、下级平台或分平台之间的联网，联网后的各功能及访问控制、权限范围内进行平台间的访问、调用信息

续表 9.4.1

序号	检验项目	检验要求	检验方法
12★	指挥调度	应能支持通过对各类信息的综合掌控，实现对资源的统一调配和应急事件的快速处置	检查平台对各类信息的综合管理，对各类资源进行访问、控制及管理
13	其他项目	对系统涉及的安全防范管理平台其他项目应符合国家现行有关标准、工程合同及竣工文件的要求	按照国家现行有关标准、工程合同及系统竣工文件中的要求进行

注：表格中带“★”的项目为运行检验必检项目。

9.4.2 入侵和紧急报警系统的检验项目、检验要求及检验方法应符合表 9.4.2 的要求。

表 9.4.2 入侵和紧急报警系统的检验项目、检验要求及检验方法

序号	检验项目	检验要求	检验方法
1	安全等级	设备的安全等级不应低于系统的安全等级。多个报警系统共享部件的安全等级应与各系统中最高的安全等级一致	根据系统的安全等级核查设备的产品检测报告；对多个报警系统的共享部件，根据各报警系统的安全等级，核查共享部件的产品检测报告
2★	探测功能	入侵和紧急报警系统应能准确、及时地探测入侵行为或触发紧急报警装置，并发出入侵报警信号或紧急报警信号	设防状态下，通过人员现场模拟入侵探测区域，当进入最大探测区域位置进行模拟入侵测试；在任何状态下，触发紧急报警装置进行测试；查看报警信号、报警信息与实际的触发情况
3★	防拆功能	当入侵和紧急报警系统的控制指示设备、告警装置、安全等级 2/3/4 级的入侵探测器、安全等级 3/4 的接线盒等设备被替换或外壳被打开时，应能发出防拆信号	在任何状态下，打开入侵和紧急报警系统的探测、传输、控制指示、告警装置的外壳或替换设备，查看声光报警信号和报警信息的状态

续表 9.4.2

序号	检验项目	检验要求	检验方法
4*	防破坏及故障识别功能	当报警信号传输线被断路/短路、探测器电源线被切断、系统设备出现故障时，报警控制设备上应发出声、光报警信息	报警探测回路发生断路、短路和电源线被切断时，查看报警状态和报警功能
5	设置功能	应能按时间、区域、部位进行全部或部分探测防区(回路)的瞬时防区、24h防区、延时防区、设防、撤防、旁路、传输、告警、胁迫报警等功能的设置。应能对系统用户权限进行设置	对不同的用户进行权限设置、增加和删除用户；授权用户对系统分别进行瞬时防区、24h防区、延时防区、设防、撤防、旁路、传输、告警、胁迫报警等功能的设置，并进行模拟测试，查看各设置后的工作状态
6	操作功能	系统用户应能根据权限类别不同，按时间、区域、部位对全部或部分探测防区进行自动或手动设防、撤防、旁路等操作，并应能实现胁迫报警操作	以不同权限用户进行操作，检查权限设置情况；授权用户对系统分别按时间、区域、部位进行自动或手动设防、撤防、旁路操作，测试系统的状态及功能；采用胁迫码操作，检查报警情况
7	指示功能	系统应能对入侵、紧急、防拆、故障等报警信号来源、控制指示设备以及远程信息传输工作状态有明显清晰的指示	检查报警信号的指示入侵发生部位、报警信号性质、保持状态；当报警指示持续期间，再发生其他报警信号输入时，查看相应的可见报警指示；当多个回路同时报警时，查看任一路的报警指示；查看报警控制指示设备和远程传输的状态
8	通告功能	当系统出现入侵、紧急、防拆、故障、胁迫等报警状态和非法操作时，系统应能根据不同需要在现场和(或)监控中心发出声、光报警通告	通过入侵、紧急、防拆、故障、胁迫等报警信号的触发，在现场、监控中心查看接收到的声、光报警信息，包括报警的时间、地点、性质等信息

续表 9.4.2

序号	检验项目	检验要求	检验方法
9★	传输功能	应能实时传递各类报警信号/信息、控制指示设备各类运行状态信息和事件信息	对系统发生的各类报警信号/信息、控制指示设备的各类运行状态信息以及事件信息，检查传输至控制指示设备的状态；当传输链路发生断路、短路时，查看发送至报警控制设备的报警信息
		当传输链路受到来自防护区域外部的影响时，安全等级4应采取特殊措施以确保信号或信息不能被延迟、修改、替换或丢失	当传输链路受到来自防护区域外部的影响时，检查安全等级4的系统传输链路所采取的保护措施
10★	记录功能	应能对系统操作、报警和有关警情处理等事件进行记录和存储，且不可更改	触发报警，查看报警记录，包括报警发生的时间、地点、报警信息性质、故障信息性质、警情处理等信息，检查信息记录的准确性、可更改性
		对于安全等级2、3和4级应具有记录等待传输事件的功能、记录事件发生的时间和日期。对于安全等级3、4级应具有事件记录永久保存的设备	根据系统的安全等级，检查报警和事件记录的时间、日期以及保存设备
11★	响应时间	系统报警响应时间应能满足下列要求： a)单控制器模式：不大于2s b)本地联网模式： ①安全等级1：不大于10s； ②安全等级2、3：不大于5s； ③安全等级4：不大于2s c)远程联网模式： ①安全等级1、2：不大于20s； ②安全等级3、4：不大于10s	根据系统设计的模式和安全等级，布防后触发探测器发生报警，测试发生报警到报警控制设备和指示设备接收信号的时间

续表 9.4.2

序号	检验项目	检验要求	检验方法
12★	复核功能	在重要区域和重要部位发出报警的同时，应能对报警现场进行声音和(或)图像复核	检查声音和(或)图像复核装置的配置位置、数量；触发报警后，验证现场声音和图像显示，检查声音和图像的清晰度、准确性
13	误报警与漏报警	入侵和紧急报警系统的误报警率应符合设计任务书和(或)工程合同书的要求。入侵和紧急报警系统不得有漏报警	触发前端各种报警类型至少50次以上，记录触发次数和报警的次数，查验漏报警情况
14	报警信息分析功能	系统可具有对各类状态/事件信息进行综合识别、分析、研判等功能	分别触发不同类型的报警和紧急报警、拆开前端探测器、断掉探测器电源，查看系统显示的相应状态信息、操作记录，检查报警、故障、操作等信息的管理、查询功能
15	其他项目	对系统涉及的入侵和紧急报警系统其他项目应符合国家现行有关标准、工程合同及竣工文件的要求	按照国家现行有关标准、工程合同及系统竣工文件中的要求进行

注：表格中带“★”的项目为运行检验必检项目。

9.4.3 视频监控系统的检验项目、检验要求及检验方法应符合表9.4.3的要求。

表 9.4.3 视频监控系统的检验项目、检验要求及检验方法

序号	检验项目	检验要求	检验方法
1★	视频/音频采集功能	视频采集设备的监控范围应有效覆盖被保护部位、区域或目标，监视效果应满足场景和目标特征识别的不同需求	检查视频采集设备的配置位置、数量、覆盖的部位、区域和目标，查看所采用设备的位置、角度、类型

续表 9.4.3

序号	检验项目	检验要求	检验方法
1*	视频/音频采集功能	视频采集设备的灵敏度和动态范围应满足现场图像采集的要求	核查视频采集设备的产品检测报告中摄像机的灵敏度和动态范围
		视频采集设备宜具有同步音频采集功能	具有音频采集功能时，检查采集音频的清晰可辨性、连续性和音视频的同步性
2	传输	视频图像信息和其他相关信息在前端采集设备到显示设备、存储设备等各设备之间的传输信道的带宽、时延、时延抖动应满足竣工文件要求	分别测试前端采集设备到显示设备和存储设备等各设备之间的信道带宽、时延和时延抖动
		视频传输应能对同一视频资源的信号进行分配或数据分发	同时在多个客户终端/设备以不同的用户登录对同一个视频图像和音频信号进行浏览、回放及控制，功能是否实现，是否出现图像卡顿或死机现象
3	切换调度功能	系统应能按照授权实时切换调度指定视频到指定终端	以不同的授权用户对视频资源进行调取显示，检查授权范围内和授权范围外对视频资源的调取，将调取的视频资源选择客户端的不同画面或不同的监视器进行显示，查看显示状态
		实时视频切换显示的响应时间应符合竣工文件要求	选取不同的视频资源在同一画面显示，测试响应的时间；选取相同的视频资源在不同画面显示，测试响应时间

续表 9.4.3

序号	检验项目	检验要求	检验方法
4*	远程控制功能	系统应具备按照授权对选定的前端视频采集设备进行 PTZ 实时控制和(或)工作参数调整的能力	以不同的授权用户对前端视频采集设备进行控制,包括 PTZ 控制及编码方式、码流、帧率、加密等的调整,检查授权用户和非授权用户的控制及调整功能,测试对前端视频采集设备进行 PTZ 控制时的端到端的时间延迟
5*	视频显示和声音展示功能	系统应能实时显示系统内的所有视频图像,系统图像质量应满足竣工文件要求。显示的方式可以是单屏幕单路视频,也可以是单屏幕多画面,也可以是组合屏幕综合显示。声音的展示应满足辨识需要,显示的图像和展示的声音应具有原始完整性	检查授权用户在客户端/显示设备上依次对所有视频图像进行调取浏览和选取不同时间段的历史图像进行回放,检查采取单画面或多画面的显示;分别通过视频测试卡图像采集、后端显示及存储的过程对显示的图像和回放的图像质量进行测试,包括分辨力、帧率、灰度等级等;对显示视频图像的几何特征、现场目标活动连续性、清晰度、色彩进行主观评价;对采集的音频信息进行实时播放和回放,检查声音信息的清晰可辨性
6*	存储/回放/检索功能	视频存储设备应能完整记录指定的视频图像信息,存储的视频路数、存储格式、存储时间应符合竣工文件要求	检查视频存储的方式、码流、存储格式、存储的路数,根据存储方式、存储格式、码流、存储路数计算每天所需的存储容量
		视频存储设备应支持视频图像信息的及时保存、连续回放、多用户实时检索和数据导出等功能	单个或多个以不同用户对视频资源进行实时检索,查看回放检索到的资源,并导出相应的数据信息
		视频图像信息保存期限不应少于 30d;防范恐怖袭击重点目标的视频图像信息保存期限不应少于 90d	根据每天所需的存储容量和配置容量,计算视频图像的保存期限;根据计算的保存期限,对存储视频图像按时间进行检索并回放,查看所需保存期限的历史图像

续表 9.4.3

序号	检验项目	检验要求	检验方法
6★	存储/回放/检索功能	视频图像信息宜与相关音频信息同步记录、同步回放	检查前端音频的设置，对音视频的记录文件进行回放，检查播放时的声音、动作、口型和延迟
7	视频/音频分析功能	系统可具有场景分析、目标识别、行为识别等视频智能分析功能。系统可具有对异常声音分析报警的功能	当具有视频/音频分析功能设计时，检查场景分析、目标识别、行为识别、异常声音分析报警等功能
		当具有场景分析或目标识别功能要求时，视频图像的分辨力应满足系统记录现场和识别目标的要求	对具有场景分析或目标识别功能要求的视频图像，分别通过视频测试卡图像采集、后端显示及存储的过程对显示的图像质量进行测试，包括分辨力、帧率、灰度等级等
8	多摄像机协同功能	对同一场景中的多台摄像机可实现相互联动功能，实现对活动目标的跟踪联动等	对同一场景设置的多台摄像机，检查相互联动性，模拟活动目标进行测试，查看联动结果和对活动目标的跟踪情况
9★	系统管理功能	系统应具有用户权限管理、操作与运行日志管理、设备管理和自我诊断等功能	对不同的用户进行权限设置、增加和删除用户；调取操作与运行日志；对相关数据进行导入、导出及界面配置
10	其他项目	对系统涉及的视频监控系统其他项目应符合国家现行有关标准、工程合同及竣工文件的要求	按照国家现行有关标准、工程合同及系统竣工文件中的要求进行

注：表格中带“★”的项目为运行检验必检项目。

9.4.4 出入口控制系统的检验项目、检验要求及检验方法应符合表 9.4.4 的要求。

表 9.4.4 出入口控制系统的检验项目、检验要求及检验方法

序号	检验项目	检验要求	检验方法
1	安全等级	系统安全等级应符合竣工文件要求	对系统中最高安全等级的出入口控制点进行现场复核：检查设备型号和对应的产品检测报告，确认设备的安全等级；对现场的设备配置组合进行检查，验证配置策略与出入口控制点安全等级；对各项功能进行验证，检查其结果与相应安全等级要求；检查系统的中心管理设备，其安全等级应不低于各出入口控制点的最高安全等级
2	受控区	系统受控区设置应符合竣工文件要求	对系统中的同权限受控区和高权限受控区进行现场复核；检查不同受控区的设备的设置和安装位置
3★	目标识别功能	系统应采用编码识读和(或)生物特征识读方式，对目标进行识别	检查采用的识读方式，核查相关产品的检测报告
		安全等级 3 和安全等级 4 的系统对目标识别时，不应采用只识读 PIN 的识别方式，应采用对编码载体信息凭证，和(或)模式特征信息凭证，和(或)载体凭证、特征凭证、PIN 组合的复合识别方式	根据系统设计的安全等级，对高安全等级的系统，检查系统采用的识读方式，分别验证只采用 PIN 识别及复合识别的有效性

续表 9.4.4

序号	检验项目	检验要求	检验方法
4★	出入控制功能	各安全等级的出入口控制点，应具有对进入受控区的单向识读出入控制功能；安全等级为2、3、4级的出入口控制点，应支持对进入及离开受控区的双向出入控制功能；安全等级为3、4级的出入口控制点，应支持对出入目标的防重入、复合识别控制功能；安全等级为4级的出入口控制点，应支持多重识别控制、异地核准控制、防胁迫控制功能	对现场出入口控制点按竣工文件和安全等级进行识读的验证，检查访问控制功能
5★	出入授权功能	系统应能对不同目标出入各受控区的时间、出入控制方式等权限进行授权配置	对各受控区的时间、出入方式等权限进行不同的授权配置，配置后进行出入测试，检查与授权配置内容的一致性
6	出入口状态监测功能	安全等级为2、3、4级的系统，应具有监测出入口的启/闭状态的功能；安全等级为3、4级的系统，应具有监测出入口控制点执行装置的启/闭状态的功能	根据系统竣工文件和安全等级要求，模拟出入口和出入口控制点执行装置的启/闭，检查系统的监测记录

续表 9.4.4

序号	检验项目	检验要求	检验方法
7	登录信息安全	当系统管理员/操作员只用 PIN 登录时，其信息位数的最小值和信息特征应满足相应安全等级的要求：安全等级 1 级时至少为 4 位数字密码，安全等级 2 级时至少为 5 位数字密码，安全等级 3 级时至少为包含字母的 6 位密码，安全等级 4 级时至少为包含字母的 8 位密码；安全等级 3、4 级时，PIN 信息不应顺序升序或降序、相同字符连续使用两次以上	根据系统的竣工文件和安全等级要求，检查系统管理员/操作员的登录方式，当只用 PIN 登录时，对系统管理员/操作员设置不同位数、数字/字母组合的 PIN，检查设置的状态和使用登录情况
8*	自我保护措施	系统应根据安全等级要求采用相应自我保护措施和配置。位于对应受控区、同权限受控区或高权限受控区域以外的部件应具有适当的防篡改/防撬/防拆保护措施。连接出入口控制系统部件的线缆，位于出入口对应受控区和同权限受控区和高权限受控区域外部的，应封闭保护，其保护结构的抗拉伸、抗弯折强度应不低于镀锌钢管	根据竣工文件和安全等级要求检查对不同受控区的权限配置；检查对管控区域外部件防篡改/防撬/防拆措施

续表 9.4.4

序号	检验项目	检验要求	检验方法
9*	现场指示/通告功能	系统应能对目标的识读过程提供现场指示。当系统出现违规识读、出入口被非授权开启、故障、胁迫等状态和非法操作时，系统应能根据不同需要在现场和(或)监控中心发出可视和(或)可听的通告或警示	按照设计文件，通过非授权凭证进行识读、强行开启、胁迫码操作、非法密码操作，在现场、监控中心检查可视和(或)可听的通告或警示等;使用授权凭证进行识读后，查看相应的识读记录，包括记录的时间、地点、对象
10	信息记录功能	系统的信息处理装置应能对系统中的有关信息自动记录、存储，并有防篡改和防销毁等措施	检查系统对信息的记录，包括非法操作、故障、授权操作、配置信息等的记录;验证对信息记录进行导出和存储、更改和删除
11*	人员应急疏散功能	系统不应禁止由其他紧急系统(如火灾等)授权自由出入的功能。系统必须满足紧急逃生时人员疏散的相关要求。当通向疏散通道方向为防护面时，系统必须与火灾报警系统及其他紧急疏散系统联动，当发生火警或需紧急疏散时，人员不用识读应能迅速安全通过	检查系统的应急开启方式，对设置的应急开启的开关或按键，验证操作后开启部分/全部出入口功能;与消防系统联动后，当触动消防报警时，验证开启相应出入口功能
12	一卡通用功能	当系统与其他业务系统共用的凭证或其介质构成“一卡通”的应用模式时，出入口控制系统与应独立设置与管理	查看“一卡通”的应用模式，按设计文件对“一卡通”进行设置和管理，验证其功能，检查出入口控制系统的独立设置与管理功能

续表 9.4.4

序号	检验项目	检验要求	检验方法
13	其他项目	对系统涉及的出入口控制系统其他项目应符合国家现行有关标准、工程合同及竣工文件的要求	按照国家现行有关标准、工程合同及系统竣工文件中的要求进行

注：表格中带“★”的项目为运行检验必检项目。

9.4.5 停车库(场)安全管理系统的检验项目、检验要求及检验方法应符合表 9.4.5 的要求。

表 9.4.5 停车库(场)安全管理系统的检验项目、检验要求及检验方法

序号	检验项目	检验要求	检验方法
1★	出入口车辆识别功能	系统应根据竣工文件对出入停车库(场)的车辆以编码凭证和(或)车牌识别方式进行识别	检查采用的车辆识别方式，验证编码凭证和(或)车牌识别，查看识别的信息的准确性；对设置的出票/验票装置，查看出/验票信息的准确性；对车牌识别，验证对车牌进行自动抓拍和识别功能
		高风险目标区域的车辆出入口可具有人员识别、车底检查等功能	检查对高风险目标区域的配置，具有人员识别和车底检查的功能时，检查人员识别功能和车底检查图像的清晰辨别性
2★	挡车/阻车功能	系统设置的电动栏杆机等挡车指示设备应满足通行流量、通行车型(大小)的要求	核查电动栏杆机等挡车指示设备的产品检测报告，检查起/落杆操作自动和手动实现功能，测量设置的电动栏杆机的起/落杆速度、通行宽度、高度
		电控阻车设备应满足高风险目标区域的阻车能力要求	核查电控阻车设备的产品检测报告，检查阻车设备的自动/手动控制功能和阻车强度，测量开启速度
3	行车疏导(车位引导)功能	应具有行车疏导(车位引导)功能	根据系统竣工文件，检查显示的车位信息，包括总车位、剩余车位等，检查动态信息显示和行车指示的准确性

续表 9.4.5

序号	检验项目	检验要求	检验方法
4★	车辆保护（防砸车）功能	系统挡车/阻车设备应有对正常通行车辆的保护措施，宜与地感线圈探测等设备配合使用	检查对起杆但未通行车辆的辨别，验证进行落杆或者落杆未触及车辆又自动抬起功能
5★	库（场）内部安全管理	库（场）内部设置的紧急报警、视频监控、电子巡查等技防设施应符合竣工文件要求，封闭式地下车库等部位应有足够的照明设施	检查库（场）内部的紧急报警、视频监控、电子巡查等设施的配置位置、数量，其功能与性能按照相关子系统进行检验；检查封闭式地下车库等部位的照明设施配置，测量地下车库照度
6★	指示/通告功能	系统应能对车辆的识读过程提供现场指示。当系统出现违规识读、出入口被非授权开启、故障等状态和非法操作时，系统应能根据不同需要向现场、监控中心发出可视和（或）可听的通告或警示	使用非授权编码/车牌识读、强行开启、非法操作后，在现场、监控中心查看可视和（或）可听的通告或警示，使用授权编码/车牌进行识读后，查看相应的识读记录，包括记录的时间、地点、对象
7	管理集成功能	系统可与停车收费系统联合设置，提供自动计费、收费金额显示、收费的统计与管理功能。系统也可与出入口控制系统联合设置，与安全防范其他子系统集成	查看系统的联合设置、集成情况，检查自动计费金额、收费统计情况，验证管理功能
8	其他项目	对系统涉及的停车库（场）安全管理系统其他项目应符合国家现行有关标准、工程合同及竣工文件的要求	按照国家现行有关标准、工程合同及系统竣工文件中的要求进行

注：表格中带“★”的项目为运行检验必检项目。

9.4.6 防爆安全检查系统的检验项目、检验要求及检验方法应符合表9.4.6的要求。

表9.4.6 防爆安全检查系统的检验项目、检验要求及检验方法

序号	检验项目	检验要求	检验方法
1	安全检查设置	系统应能对进入被保护单位的人员和(或)物品和(或)车辆进行安全检查,对规定的爆炸物、武器、管制品或其他违禁物品进行实时、有效的探测、显示、记录和报警	检查安全检查设备的配置位置、数量、类型,核查相应产品的检测报告,对竣工文件中规定的物品验证探测、显示、记录和报警功能
2*	设备要求	系统所用安检设备应符合相关产品技术要求的规定。系统的探测率、误报率及人员、物品和车辆的通过率(检查速度)应满足国家现行相关标准的要求	核查安检设备产品检测报告中的探测率、误报率和人员、物品和车辆的通过率
3*	X射线剂量	X射线安全检查设备的单次检查剂量不应大于5μGy,在距设备外表面5cm的任意处(包括设备的入口、出口处),X射线泄漏剂量率应小于5μGy/h	将测试设备通过X射线安检设备10次,测试设备累计显示总检查剂量,平均后计算单次剂量是否符合要求;距离X射线安检设备外表面5cm测量前、后、左、右、上、下各处的射线剂量,记录最大值
4*	信息存储时间	安检信息存储时间应大于或等于90d	对安检过程所存储的图片、操作记录等信息进行查询,检查存储信息的准确性,根据存储容量和图片、记录信息计算和核对存储时间
5	安全检查区设置	安全检查区应设置在保护区域的入口,安全检查区内设置的安全检查通道数量、配备的安全检查设施和人员应与被检人员、物品和车辆流量相适应	检查安全检查区的位置及检查区内配置的检查通道数量、检查设施

续表 9.4.6

序号	检验项目	检验要求	检验方法
6★	安全检查区视频监控要求	安全检查区应设置视频监控装置，实时监视安检现场情况，监视和回放图像应能清晰显示安全检查区人员聚集情况、清晰辨别被检人员的面部特征、清晰显示放置和拿取被检物品等活动情况	检查安全检查区的视频监控装置的配置，检查监视图像清晰显示人员聚集、人员面部特征、被检物品等情况；图像质量按视频监控系统的检验进行
7	其他项目	对系统涉及的防爆安全检查系统的其他项目应符合国家现行有关标准、工程合同及竣工文件的要求	按照国家现行有关标准、工程合同及系统竣工文件中的要求进行

注：表格中带“★”的项目为运行检验必检项目。

9.4.7 楼寓对讲系统的检验项目、检验要求及检验方法应符合表 9.4.7 的要求。

表 9.4.7 楼寓对讲系统的检验项目、检验要求及检验方法

序号	检验项目	检验要求	检验方法
1★	对讲功能	访客呼叫机与用户接收机之间、多台管理机之间、管理机与访客呼叫机之间、管理机与用户接收机之间应具有双向对讲功能。系统应限制通话时长以避免信道被长时间占用	分别进行双向语音对讲操作，验证其功能，测试通话时长，检查通话语音的质量
2★	可视功能	具有可视功能的用户接收机应能显示由访客呼叫机采集的视频图像。视频采集装置应具有自动补光功能	访客呼叫机呼叫用户接收机，检查在接收机端显示访客机采集的视频图像，并采用测试卡对图像的分辨力、灰度、色彩还原度进行测试；检查自动补光功能

续表 9.4.7

序号	检验项目	检验要求	检验方法
3★	开锁功能	应能通过用户接收机手动控制开启受控门体的电锁。应能通过访客呼叫机让有权限的用户直接开锁。应根据安全管理的实际需要，选择是否允许通过管理机控制开启电锁	对用户接收机手动开锁操作，检查受控门体的状态；采用授权识读装置访问访客呼叫机，检查开锁状态；验证通过管理机远程选择控制开启相应电锁
4	防窃听功能	系统在通话过程中，语音不应被其他非授权用户窃听	在不同设备间进行双向语音对讲操作，验证通过其余设备进行接听
5★	告警功能	当系统受控门开启时间超过预设时长、访客呼叫机防拆开关被触发时，应有现场告警提示信息，具有高安全需求的系统还应向管理中心发送告警信息	打开受控门超过设定的时长，检查现场发出的告警提示，在管理中心查看收到的告警信息；打开访客呼叫机的面板，检查现场发出的告警提示，在管理中心查看收到的告警信息；检查告警信息的发送情况
6	系统管理功能	管理机应具有设备管理和权限管理功能，宜具有通行事件管理、数据备份及恢复、信息发布等功能	检查管理机对系统设备进行添加、删除、配置；检查对人员的操作权限进行设置、配置；通过管理机向选择的或全部访客呼叫机/用户接收机发送信息，查看显示的信息；检查对系统设备参数、日志等进行备份和数据备份；查询访客呼叫记录，记录内容包含时间、日期和开锁等信息
7	报警控制及管理功能	具有报警控制及管理功能的系统，报警控制和管理功能应满足国家现行有关标准的要求	核查产品的检测报告，验证报警控制及管理功能

续表 9.4.7

序号	检验项目	检验要求	检验方法
8	无线扩展终端功能	用户接收机可外接无线扩展终端，实现与用户接收机/访客呼叫机等设备的对讲、视频图像显示、接收报警信息等功能	检查无线终端分别与接收机和访客机进行对讲功能；查看无线终端显示的访客呼叫机的视频图像和接收的报警信息
9	系统安全	除已采取了可靠的安全管控措施，不应利用无线扩展终端开启入户门锁以及进行报警控制管理	检查无线扩展终端的开启门锁按钮和报警管理选项，并验证对相应功能的限制；当采取安全管控措施时，核查相关产品的检测报告中关于访问控制、控制指令保护、数据存储保护等的安全措施
10	其他项目	对系统涉及的楼寓对讲系统的其他项目应符合国家现行相关标准、工程合同及竣工文件的要求	按照国家现行相关标准、工程合同及系统竣工文件中的要求进行

注：表格中带“★”的项目为运行检验必检项目。

9.4.8 电子巡查系统的检验项目、检验要求及检验方法应符合表9.4.8的要求。

表 9.4.8 电子巡查系统的检验项目、检验要求及检验方法

序号	检验项目	检验要求	检验方法
1★	巡查线路设置	应能对巡查轨迹、时间、巡查人员进行设置，应能设置多条并发线路	根据巡查点的点位设置多条巡查路线，并设置多条并发线路，检查设置内容的正确性，包括时间、巡查人员和巡查点选择等
2★	巡查报警设置	应能设置巡查异常报警规则	对不同的巡查路线设置不同的报警规则，验证按报警规则巡查的报警情况，查看报警内容与设定报警规则的一致性

续表 9.4.8

序号	检验项目	检验要求	检验方法
3★	巡查状态监测功能	应能在预先设定的在线巡查路线中，对人员的巡查活动状态进行监督和记录，应能在发生意外情况时及时报警	按照巡查路线进行巡查，检查对巡查的轨迹、时间、地点、巡查人等的信息记录；检查对巡查活动是否准时和遵守顺序等状态的在线显示、记录；根据设置的报警规则，当出现偏离巡查路线和未按设定时间巡查等情况时，检查发出的报警和报警内容
4	统计报表功能	系统可对设置内容、巡查活动情况进行统计，形成报表	按时间、地点、人员等选取设置的内容和巡查活动情况，检查进行统计和形成报表情况，并验证统计结果的正确性
5	其他项目	对系统涉及的电子巡查系统的其他项目应符合国家现行有关标准、工程合同及竣工文件的要求	按照国家现行有关标准、工程合同及系统竣工文件中的要求进行

注：表格中带“★”的项目为运行检验必检项目。

9.5 安全性、电磁兼容性、防雷与接地检验

9.5.1 安全性检验项目、检验要求及检验方法应符合表9.5.1的要求。

表 9.5.1 安全性检验项目、检验要求及检验方法

序号	检验项目	检验要求	检验方法
1★	设备安全性	所用设备、器材的安全性指标应符合现行国家标准《安全防范报警设备 安全要求和试验方法》GB 16796和相关产品标准规定的安全性能要求	核查所用设备、器材的产品检测报告

续表 9.5.1

序号	检验项目	检验要求	检验方法
1★	设备安全性	系统所用设备及其安装部件的机械结构应有足够的强度，应能防止由于机械重心不稳、安装固定不牢、突出物和锐利边缘以及显示设备爆裂等造成对人员的伤害	检查系统设备及其安装部件的材质、安装方式、外观、人员操作距离等
		系统和设备应有防人身触电、防火、防过热的保护措施	检查系统设备的安全接地、等电位连接措施、过电流保护装置、过负荷保护装置、过热保护装置、温度控制装置等
		监控中心（控制室）的面积、温度、湿度、噪声、采光及环保要求、自身防护能力、设备配置、安装、控制操作设计、人机界面设计等均应符合人机工程学原理	测量监控中心主要操作区域和设备布置区域的面积、温度、相对湿度、照度、噪声；检查控制台、显示设备、打印设备等的布置，检查对外进行通信的装置
		具有特殊防御功能的实体防护装置具有锐利边缘或触碰时对人体具有一定伤害的，应在安装区域显著位置设置警示标识	对脉冲式电子围栏、炫目灯光、滚刺网等的实体防护装置检查设置的警示标识的位置、内容、字体、颜色等
2	信息安全措施	系统宜采用专用传输网络，有线公网传输和无线传输宜有信息加密措施	检查采用的传输网络，利用工具软件测试在通信过程中的整个报文或会话过程的加密情况
		根据安全管理需要，系统可对重要数据进行加密存储	检查系统数据的存储设置加密措施
		应有防病毒和防网络入侵的措施	检查系统安装的防火墙、防病毒软件

续表 9.5.1

序号	检验项目	检验要求	检验方法
2	信息安全措施	系统宜对用户和设备进行身份认证，宜对用户和设备基本信息、属性信息以及身份标识信息等进行管理	利用工具软件进行测试，包括：身份鉴别、设备用户的标识唯一性检查、用户身份鉴别信息复杂度检查以及登录失败处理功能；检查对网络设备的管理员登录地址的限制；对网络设备进行远程管理时，检查防止鉴别信息在网络传输过程中被窃听所采取的措施
		系统运行的密钥或编码不应是弱口令，用户名和操作密码组合应不同	检查系统运行口令，并使用弱口令测试工具进行测试
		当基于不同传输网络的系统和设备联网时，应采取相应的网络边界安全管理措施	对基于不同传输网络的系统和设备联网时，检查采取的网络边界管理措施
3	系统防破坏能力	系统传输线路的出入端线应隐蔽，并有保护措施	检查系统传输线路出入端线的位置隐蔽性和采取的保护措施
		系统供电暂时中断，恢复供电后，系统应能自动恢复原有工作状态	系统正常工作时，切断电源并重新供电，检查系统主要设备工作状态和参数设置与断电前的一致性
		系统宜有自检功能，对系统、设备、传输链路进行监测	检查系统日志中的自检记录；分别打开设备外壳和断开传输链路，查看报警情况
		系统宜对故障、欠压等异常状态进行报警	模拟通信故障、电源故障、欠压，查看报警情况
4	易燃易爆安全要求	在具有易燃易爆物质的特殊区域，安全防范系统应有防爆措施并满足其行业的有关规定	根据危险物品性质和设计要求检查特殊区域内线路敷设方式、接地及等电位联结措施等，并核查相关产品的检测报告

续表 9.5.1

序号	检验项目	检验要求	检验方法
5★	监控中心辐射限值	安全防范系统监控中心电场强度、磁场强度、磁感应强度、等效平面波功率密度的控制限值应符合现行国家标准《电磁环境控制限制》GB 8702 相关要求	按现行行业标准《辐射环境保护管理导则—电磁辐射监测仪器和方法》HJ/T 10.2 的方法对监控中心坐席和人员活动位置进行电场强度、磁场强度、磁感应强度、等效平面波功率密度的测试

注:表格中带"★"的项目为运行检验必检项目。

9.5.2 电磁兼容性检验项目、检验要求及检验方法应符合表 9.5.2 的要求。

表 9.5.2 电磁兼容性检验项目、检验要求及检验方法

序号	检验项目		检验要求	检验方法
1★	主要设备电磁兼容性	静电放电抗扰度试验	系统所用主要设备的静电放电抗扰度应符合现行国家标准《安全防范报警设备电磁兼容抗扰度要求和试验方法》GB/T 30148 的要求	对系统主要设备按相应等级要求进行静电放电抗扰度测试
		电快速瞬变脉冲群抗扰度试验	系统所用主要设备的电快速瞬变脉冲群抗扰度应符合现行国家标准《安全防范报警设备电磁兼容抗扰度要求和试验方法》GB/T 30148 的要求	对系统设备包括存储设备、服务器、交换设备、解码设备等按相应要求进行电快速瞬变脉冲群抗扰度测试
2	传输线路抗干扰设置		安全防范系统线缆宜单独管槽敷设,可与相同信号电压等级的其他线路合用管槽	检查系统线缆管、槽的敷设方式和强弱电敷设方式、不同电压等级线缆的敷设方式

续表 9.5.2

序号	检验项目	检验要求	检验方法
2	传输线路抗干扰设置	220VAC以上的供电电缆与信号传输电缆应分开敷设，当受条件限制必须并行靠近敷设时，应采取屏蔽或隔离措施	检查220VAC以上的供电电缆与信号传输电缆的敷设方式，当并行靠近敷设时，检查采取的屏蔽或隔离措施
		室内信号传输线缆、电梯安防专用电缆宜采取屏蔽措施	检查线缆的类型、敷设等采取的屏蔽措施，穿金属管时，检查金属管的接地情况
3	防电磁骚扰措施	电源线进入屏蔽空间时应设置电源滤波器，控制线和信号线进入屏蔽空间时应设置信号滤波器，滤波器性能参数应符合现行国家标准《电磁屏蔽室工程技术规范》GB/T 50719的要求	检查电源和信号滤波器的配置位置、数量、类型，核查滤波器的产品检测报告
4★	监控中心防静电	防静电地面面层的表面电阻值应符合现行国家标准《建筑电气工程电磁兼容技术规范》GB 51204的相关要求	检查防静电地面的设置，测试表面电阻值

注：表格中带“★”的项目为运行检验必检项目。

9.5.3 防雷与接地检验项目、检验要求及检验方法应符合表9.5.3的要求。

表 9.5.3 防雷与接地检验项目、检验要求及检验方法

序号	检验项目	检验要求	检验方法
1★	防雷与接地	安全防范系统的接地母线应采用铜导体，接地端子应有接地标识。采用共用接地装置时，共用接地装置电阻值应满足各种接地最小电阻值要求。采用专用接地装置时，专用接地装置电阻值不应大于4Ω；安装在室外前端设备的接地电阻值不应大于10Ω；在高山岩石的土壤电阻率大于2000Ω·m时，其接地电阻值不应大于20Ω	检查接地母线和接地端子，核查接地电阻检测报告是否符合要求，无报告时进行接地电阻测试

续表 9.5.3

序号	检验项目	检验要求	检验方法
1★	防雷与接地	安全防范系统进出建筑物的电缆，在进出建筑物处应采取防雷电感应过电压、过电流的保护措施	检查电缆进出建筑物时设置的线路浪涌保护器以及与防雷接地装置的等电位连接情况
		监控中心内应设置接地汇集环或汇集排，汇集环或汇集排宜采用裸铜质导体，其截面积不应小于 $35mm^2$	检查监控中心设置的汇集环/排和连接线，测量导体的截面积
		系统的重要设备应安装电涌保护器。电涌保护器接地端和防雷接地装置应作等电位连接。等电位连接带应采用铜导体，其截面积不应小于 $16mm^2$	检查户外设备的信号线、控制线及供电线路设置的浪涌保护器以及与防雷接地装置进行等电位连接情况，测量连接线截面积
		架空电缆吊线的两端和架空电缆线路中的金属管道应接地	检查架空电缆情况，查看架空电缆时的吊线和金属管道的接地情况
		光缆金属加强芯、架空光缆金属接续护套应接地	检查光缆传输中的光缆金属加强芯、架空光缆金属接续护套的接地情况

注：表格中带“★”的项目为运行检验必检项目。

9.6 供电与信号传输检验

9.6.1 供电检验项目、检验要求及检验方法应符合表9.6.1的要求。

表9.6.1 供电检验项目、检验要求及检验方法

序号	检验项目	检 验 要 求	检 验 方 法
1	备用电源	入侵和紧急报警统的应急供电时间不宜小于8h；视频监控系统关键设备的应急供电时间不宜小于1h；安全等级4级的出入口控制点执行装置为断电开启的设备时，在满负荷状态下，备用电源应能确保该执行装置正常运行不应小于72h	根据系统配置和设备功耗计算各系统应急供电所需备用电源的容量，并对不同的系统分别计算备用电源供电时间
2	电源质量	主电源来自市电网时，安全防范系统接入端的指标宜达到如下要求： 1)稳态电压偏移不宜大于±10%； 2)稳态频率偏移不宜大于±0.2Hz； 3)断电持续时间不宜大于4ms； 4)谐波电压和谐波电流的限值满足现行国家标准《电能质量　公用电网谐波》GB/T 14549的要求； 5)供电系统工作时，零线对地线的电压峰峰值不应高于36Vp-p	在系统设备输入电源端采用电源质量分析设备对电源质量进行测试
3*	主、备电源转换	对有备用电源的系统，当主电源断电时，应自动转换为备用电源供电。主电源恢复时，应能自动转换为主电源供电。在电源转换过程中，系统应能正常工作	切断主电源，验证备用电源自动转换供电；恢复主电源，验证切换主电源供电；检查切换过程中系统设备的工作状态

续表 9.6.1

序号	检验项目	检验要求	检验方法
3★	主、备电源转换	对于双路供电的系统，主备电源应能自动切换	检查配电箱两路电源的独立方式，分别切断其中一路电源，验证供电输出情况
4	配电箱	安全防范系统的监控中心应设置专用配电箱，配电箱的配出回路应留有余量	检查监控中心配电箱的设置和配电箱出线回路

注：表格中带“★”的项目为运行检验必检项目。

9.6.2 信号传输检验项目、检验要求及检验方法应符合表 9.6.2 的要求。

表 9.6.2 信号传输检验项目、检验要求及检验方法

序号	检验项目	检验要求	检验方法
1	传输方式	报警主干线宜采用有线传输为主、无线传输为辅的双重报警传输方式	检查报警主干线的传输方式，分别验证有线、无线两种传输方式
		高风险保护对象的安全防范工程应采用专用传输网络（专线和虚拟专用网）	根据系统竣工文件，检查对于高风险保护对象的传输网络所采用的专线和虚拟专用网
2★	传输线缆	传输电缆的衰减、阻抗应满足竣工文件要求；网络数据传输电缆的传输速率、带宽应符合竣工文件要求；传输光缆的衰减应符合竣工文件要求	使用线缆分析设备分别测量传输电缆的衰减和阻抗、网络数据电缆的传输速率和带宽、光缆的衰减

续表 9.6.2

序号	检验项目	检验要求	检验方法
3	线缆敷设★	监控中心的值守区域与设备区为不相邻的独立物理区域时，值守区域与设备区之间应采用双物理路由冗余设计，至少一路采用独立路由	检查监控中心值守区域与设备区的位置，当不相邻时检查之间的路由
		监控中心的值守区与设备区为两个独立物理区域且不相邻时，两个区域之间的传输线缆应封闭保护，其保护结构的抗拉伸、抗弯折强度不应低于镀锌钢管	检查监控中心的值守区与设备区的位置，当为两个独立区域且不相邻时，检查区域之间的传输线缆采用的保护措施和保护结构
		来自高风险区域的线缆路由经过低风险区域时，应采取必要的防护措施	根据系统设计文件，检查对高风险区域的线缆路由经过低风险区域时采取的保护措施，如：实体防护、视频监控、人力防范等的配置
		出入口执行部分的输入线缆在该出入口的对应受控区、同权限受控区、高权限受控区以外的部分应进行封闭保护，其保护结构的抗拉伸、抗弯折强度不应低于镀锌钢管	根据各出入口受控区级别，检查对应输入线缆在该出入口的对应受控区、同权限受控区、高权限受控区以外的部分进行的保护措施和保护结构
		线缆接续点和终端应进行统一编号、设置永久标识，线缆两端、检修孔等位置应设置标签	检查线缆接续点和终端设置的标签或标识，查看编号，检查检修孔等位置的标签情况

注：表格中带“★”的项目为运行检验必检项目。

9.7 监控中心与设备安装检验

9.7.1 监控中心检验项目、检验要求及检验方法应符合表9.7.1的要求。

表9.7.1 监控中心检验项目、检验要求及检验方法

序号	检验项目	检验要求	检验方法
1	监控中心的位置与布局	监控中心的值守区与设备区宜分隔设置	检查监控中心的值守区与设备区的设置
		监控中心的面积应与安防系统的规模相适应，应有保证值班人员正常工作的相应辅助设施	测量监控中心的面积，检查值班人员的辅助设施
2★	监控中心的自身防护	监控中心应有保证自身安全的防护措施和进行内外联络的通信手段，并应设置紧急报警装置和留有向上一级接处警中心报警的通信接口	检查监控中心对外联络的有线和(或)无线通信设施、紧急报警装置以及与上级报警的通信接口
		监控中心出入口应设置视频监控和出入口控制装置。监视效果应能清晰显示进入监控中心出入口外部区域的人员特征及活动情况	检查监控中心出入口的视频监控和出入口控制装置，查看视频监视监控中心出入人员的面部特征情况
		监控中心内应设置视频监控装置，监视效果应能清晰显示监控中心内人员活动的情况	检查监控中心的视频监控装置设置情况，查看视频监视的效果

续表 9.7.1

序号	检验项目	检 验 要 求	检 验 方 法
2★	监控中心的自身防护	对设置在监控中心的出入口控制系统管理主机、网络接口设备、网络线缆等应采取强化保护	检查监控中心的受控区级别及出入口控制系统的管理主机、网络接口设备、网络线缆的保护措施
3	监控中心的环境	监控中心的疏散门应采用外开方式，且应自动关闭，并应保证在任何情况下均能从室内开启	检查监控中心的疏散门设置和锁闭开启情况
		监控中心室内地面应防静电、光滑、平整、不起尘。门的宽度不应小于 0.9m，高度不应小于 2.1m	检查监控中心内防静电地板的设置，测量门的宽度和高度
		监控中心内的温度宜为 16℃～30℃，相对湿度宜为 30%～75%	测量监控中心的温度和湿度
		监控中心内应有良好的照明，并设置应急照明装置	测量监控中心的照度，检查应急照明装置的设置情况
		监控中心不宜设置高噪声的设备，当必须设置时，应采取有效的隔声措施	测量监控中心的噪声，对于高噪声的设备，检查采取的隔声措施，验证其隔声效果
4	监控中心的设备布局	控制台正面与墙的净距离不应小于 1.2m，侧面与墙或其他设备的净距离，在主要走道不应小于 1.5m，在次要走道不应小于 0.8m；机架背面和侧面与墙的净距离不应小于 0.8m	检查控制台和机架的安装位置，测量控制台正/测面与墙距离、主要走道、次要走道、机柜（架）背/测面与墙的距离

注：表格中带"★"的项目为运行检验必检项目。

9.7.2 设备安装检验项目、检验要求及检验方法应符合表9.7.2的要求。

表9.7.2 设备安装检验项目、检验要求及检验方法

序号	检验项目	检验要求	检验方法
1	入侵和紧急报警设备安装	各类探测器的安装位置和高度应符合竣工文件要求，应确保对防护区域的有效覆盖。当多个探测器的探测范围有交叉覆盖时，应避免相互干扰。周界入侵探测器的安装，应能保证防区交叉，无盲区	检查各类探测器的探测范围、安装位置和高度，检查周界入侵探测器的覆盖和盲区情况；交叉覆盖时，测试各探测器的探测功能和相互影响性
		需要隐蔽安装的紧急按钮，应便于操作	检查紧急按钮的安装位置和操作便利性
2	视频监控设备安装	摄像机、拾音器的安装具体地点、安装高度应满足监视目标视场范围要求，注意防破坏	检查摄像机及拾音器的安装地点、高度和牢固性
		电梯厢内的摄像机应能有效监视电梯厢内乘员面部特征	检查电梯厢内摄像机的安装位置，查看监视乘员的面部情况
		信号线和电源线应分别引入，外露部分应用软管保护，并不影响云台的转动	检查信号线和电源线的引入情况和保护方式，云台转动时检查拖拉、缠绕现象
		云台转动角度范围应满足监视范围的要求。云台应运转灵活、运行平稳。云台转动时监视画面应无明显抖动	转动云台，检查监视范围，并在转动过程中查看云台运转状态和监视画面的抖动现象
3	出入口设备安装	各类识读装置的安装应便于识读操作，高度应符合竣工文件要求	检查各类识读装置的安装牢固性，测量安装的离地高度
		感应式识读装置在安装时应注意可感应范围，不得靠近高频、强磁场	验证感应式识读装置在感应范围内的识读功能

续表 9.7.2

序号	检验项目	检验要求	检验方法
3	出入口设备安装	受控区内出门按钮的安装，应保证在受控区外不能通过识读装置的走线孔触及出门按钮的信号线	检查出门按钮与识读装置错位安装或采取管线物理隔离方式；拆下对应识读装置，检查通过识读装置走线孔触及出门按钮的信号线情况
		锁具安装应保证在防护面外无法拆卸	检查锁具从防护面外进行拆卸和破坏情况
4	停车库(场)安全管理设备安装	读卡机(IC卡机、磁卡机、出票读卡机、验卡票机)与挡车器安装应平整，保持与水平面垂直、不得倾斜；读卡机应方面驾驶员读卡操作	检查读卡机与挡车器的安装与地面垂直情况；测量读卡区域的高度
		读卡机与挡车器的中心间距应符合竣工文件要求	测量读卡机与挡车器的距离
		读卡机(IC卡机、磁卡机、出票读卡机、验卡票机)与挡车器感应线圈的埋设位置与竣工文件一致，感应线圈至机箱处的线缆应采用金属管保护；智能摄像机的安装位置、角度，应满足车辆号牌字符、号牌颜色、车身颜色、车辆特征、人员特征等相应信息采集的需要	检查读卡机(IC卡机、磁卡机、出票读卡机、验卡票机)与挡车器的安装位置、感应线圈的埋设位置、智能摄像机的安装位置、角度，检查感应线圈至机箱处的线缆保护措施；模拟车辆通过测试智能摄像机进行图像抓拍，查看显示的车辆号牌字符、号牌颜色、车身颜色、车辆特征、人员特征等信息
		车位状况信号指示器应安装在车道出入口的明显位置，车位引导显示器应安装在车道中央上方，便于识别与引导	检查车位状态信号指示器和引导显示器的安装位置

续表 9.7.2

序号	检验项目	检 验 要 求	检 验 方 法
5	楼寓对讲设备安装	访客呼叫机、用户接收机的安装位置、高度应符合竣工文件要求	检查访客呼叫机和用户接收机的安装位置，测量操作面板的高度
		访客呼叫机内置摄像机的方位和视角应符合竣工文件要求	访客呼叫机呼叫后，在用户接收机查看访客呼叫机拍摄的视频，检查拍摄的角度、内容、图像质量
6	电子巡查设备安装	在线巡查或离线巡查的信息采集点（巡查点）的安装位置和数量应符合竣工文件要求，便于操作	检查信息采集点的设置，测量离地安装高度
7	防爆安全检查设备安装	X射线行李检查设备的安装场地地面应平整	检查X射线行李检查设备的安装
		通过式金属探测门设备的安装应选择平整、坚实的场地，落地应平稳，机械连接和构件应牢固	检查通过式金属探测门设备的安装
8	监控中心设备安装	控制、显示等设备屏幕应避免光线直射，当不可避免时，应采取避光措施	检查控制、显示等设备屏幕的安装位置、安装方式和采取的避光措施
		控制台、机柜（架）、电视墙不应直接安装在活动地板上	检查控制台、机柜（架）、电视墙的安装方式
		设备金属外壳、机架、机柜、配线架、各类金属管道、金属线槽、建筑物金属结构等应进行等电位联结并接地	检查设备金属外壳、机架、机柜、配线架、各类金属管道、金属线槽、建筑物金属结构等的等电位连接情况，并检查连接后的接地情况

续表 9.7.2

序号	检验项目	检验要求	检验方法
8	监控中心设备安装	显示屏的拼接缝、平整度、拼接误差等应符合现行国家标准《视频显示系统工程技术规范》GB 50464 的规范要求	按现行国家标准《视频显示系统工程测量规范》GB/T 50525 中的方法分别测量显示屏的平整度、拼接缝及拼接误差
		室内的电缆、控制线的敷设宜设置地槽；当不设置地槽时，也可敷设在电缆架槽、墙上槽板内，或采用活动地板。根据机架、机柜、控制台等设备的相应位置，应设置电缆槽和进线孔，槽的高度和宽度应满足敷设电缆的容量和电缆弯曲半径的要求	检查室内电缆、控制线的敷设方式；检查电缆槽和进线孔的设置和槽内敷设线缆情况；测量槽的高度和宽度，查看敷设线缆的产品检测报告，并计算槽敷设界面利用率

注：表格中带“★”的项目为运行检验必检项目。

10 工程验收

10.1 验收组织

10.1.1 安全防范工程竣工后，应由建设单位会同相关部门组织验收。

10.1.2 工程验收时，应组成工程验收组。工程验收组可根据实际情况下设施工验收组、技术验收组和资料审查组。

10.1.3 建设单位应根据项目的性质、特点和管理要求与相关部门协商确定验收组成员，并由验收组推荐组长。

10.1.4 验收组中技术专家的人数不应低于验收组总人数的50％，不利于验收公正性的人员不得参加工程验收组。

10.1.5 验收组应对工程质量做出客观、公正的验收结论。验收结论分为通过、基本通过、不通过。验收通过的工程，验收组可在验收结论中提出建议或整改意见；验收基本通过或不通过的工程，验收组应在验收结论中明确指出发现的问题和整改要求。

10.2 施工验收

10.2.1 施工验收应依据设计任务书、深化设计文件、工程合同等竣工文件及国家现行有关标准，按表10.2.1列出的检查项目进行现场检查，并做好记录。

10.2.2 隐蔽工程的施工验收均应复核随工验收单或监理报告。

10.2.3 施工验收应根据检查记录，按照表10.2.1规定的计算方法统计合格率，给出施工质量验收通过、基本通过或不通过的结论。

表 10.2.1 施工验收表

<table>
<tr><td colspan="3">工程名称：</td><td colspan="4">工程地址：</td></tr>
<tr><td colspan="3">建设单位：</td><td colspan="4">设计单位：</td></tr>
<tr><td colspan="3">施工单位：</td><td colspan="4">监理单位：</td></tr>
<tr><td colspan="3" rowspan="2">检查项目</td><td rowspan="2">质量要求</td><td rowspan="2">检查方法</td><td colspan="3">检查结果</td></tr>
<tr><td>合格</td><td>基本合格</td><td>不合格</td></tr>
<tr><td rowspan="11">设备安装</td><td>1</td><td>安装位置(方向)</td><td>合理，有效</td><td>现场检查</td><td></td><td></td><td></td></tr>
<tr><td>2</td><td>安装质量(工艺)</td><td>牢固、整洁、美观、规范</td><td>现场检查</td><td></td><td></td><td></td></tr>
<tr><td>3</td><td>机柜(架)、操作台、电视墙</td><td>安装平稳、牢固，便于操作维护</td><td>现场检查</td><td></td><td></td><td></td></tr>
<tr><td>4</td><td>控制设备</td><td>操作方便、安全</td><td>现场检查</td><td></td><td></td><td></td></tr>
<tr><td>5</td><td>开关、按钮</td><td>灵活、方便、安全</td><td>现场检查</td><td></td><td></td><td></td></tr>
<tr><td>6</td><td>机架、操作台、设备接地</td><td>接地规范、安全</td><td>现场观察、询问</td><td></td><td></td><td></td></tr>
<tr><td>7</td><td>雷电防护措施</td><td>符合本标准第6.11.2条相关要求</td><td>复核检验报告，现场观察</td><td></td><td></td><td></td></tr>
<tr><td>8</td><td>接地电阻</td><td>符合本标准第6.11.3条相关要求</td><td>对照检验报告</td><td></td><td></td><td></td></tr>
<tr><td>9</td><td>机架电缆线扎及标识</td><td>整齐、有明显编号、标识并牢靠</td><td>现场检查</td><td></td><td></td><td></td></tr>
<tr><td>10</td><td>电源引入线缆标识</td><td>引入线端标识清晰、牢靠</td><td>现场检查</td><td></td><td></td><td></td></tr>
<tr><td>11</td><td>通电</td><td>工作正常</td><td>现场通电检查</td><td></td><td></td><td></td></tr>
<tr><td rowspan="2">线缆敷设</td><td>12</td><td>布放要求</td><td>布放自然平直，标识清晰，编号统一并有适当的保护</td><td>现场询问、检查，复核隐蔽工程随工验收单</td><td></td><td></td><td></td></tr>
<tr><td>13</td><td>同轴电缆</td><td>一线到位，中间无接头</td><td>现场询问、检查，复核隐蔽工程随工验收单</td><td></td><td></td><td></td></tr>
</table>

续表 10.2.1

检查项目			质量要求	检查方法	检查结果		
					合格	基本合格	不合格
线缆敷设	14	光缆	无断点，接头有预留	现场询问、检查，复核隐蔽工程随工验收单			
	15	穿管（槽）线缆	无接头或扭结	现场询问、检查，复核隐蔽工程随工验收单			
	16	架空线缆	悬挂方式、挂钩间距、线缆最低点等符合设计要求	现场观察、询问			
	17	直埋线缆	线缆埋深、线缆保护等符合设计要求	现场询问、复核隐蔽工程随工验收单			
	18	电缆沟线缆	与建筑物间隔离密封	现场询问、检查，复核隐蔽工程随工验收单			
	19	管道线缆	线缆共管、线缆保护等符合设计要求	现场询问、检查，复核隐蔽工程随工验收单			
线缆连接	20	连接	连接器件连接可靠，绝缘良好，不易脱落	现场观察、询问			
	21	中间接续	线序正确、连接可靠、密封良好	现场观察、询问			
	22	网络数据电缆	连接器件的性能应与电缆相匹配，线序正确、连接可靠	现场观察、询问			
	23	光缆	接续时采用熔接方式，光缆熔接处有保护和固定	现场观察、询问			

续表 10.2.1

检查项目			质量要求	检查方法	检查结果		
					合格	基本合格	不合格
隐蔽工程	24	隐蔽工程		复核隐蔽工程随工验收单或监理报告			
检查结果 K_s（合格率）：				施工质量验收结论：			
施工验收组（人员）签名：				验收日期：			

注：1 对每一项检查项目的抽查比例由验收组根据工程性质、规模大小等决定。
2 在检查结果栏选符合实际情况的空格内打“√”，并作为统计数。
3 检查结果：K_s（合格率）=（合格数＋基本合格数×0.6）/ 项目检查数（项目检查数如无要求或实际缺项未检查的不计在内）。
4 验收结论：K_s（合格率）≥0.8 判为通过；0.8＞K_s（合格率）≥0.6 判为基本通过；K_s（合格率）＜0.6 判为不通过，必要时做简要说明。

10.3 技术验收

10.3.1 技术验收应依据设计任务书、深化设计文件、工程合同等竣工文件和国家现行有关标准，按照表 10.3.1 列出的检查项目进行现场检查或复核工程检验报告，并做好记录。

表 10.3.1 技术验收表

工程名称：			工程地址：			
建设单位：			设计单位：			
施工单位：			监理单位：			
检查项目			检查要求与方法	检查结果		
				合格	基本合格	不合格
基本要求	1*	系统主要技术性能	10.3.2，现场检查、复核检验报告			
	2	设备配置	10.3.3，复核检验报告			
	3	主要安防产品的质量证明	10.3.4，复核检验报告			
	4	系统供电	10.3.5，复核检验报告			

续表 10.3.1

检查项目			检查要求与方法	检查结果		
				合格	基本合格	不合格
实体防护	5	防护设置	10.3.6,复核检验报告			
	6	实体防护设备、建筑施工	10.3.6,复核检验报告			
	7	实体屏障	10.3.6,复核检验报告			
	8	安防照明、警示标志	10.3.6,现场检查			
入侵和紧急报警	9*	探测、防拆、设置、操作	10.3.7,现场检查			
	10	报警响应时间	10.3.7,复核检验报告			
	11	声音和(或)图像复核	10.3.7,复核检验报告			
	12	报警联动	10.3.7,复核检验报告			
视频监控	13	采集、监视、远程控制、记录与回放	10.3.8,现场检查			
	14*	图像质量、信息存储时间	10.3.8,现场检查、复核检验报告			
	15	视频/音频分析	10.3.8,复核检验报告			
	16	系统管理	10.3.8,复核检验报告			
出入口控制	17*	目标识别、出入控制	10.3.9,现场检查			
	18	自我保护措施和配置	10.3.9,复核检验报告			
	19*	应急疏散	10.3.9,现场检查			
停车库(场)	20*	出入控制、车辆识别	10.3.10,现场检查			
	21	内部安全防范措施	10.3.10,复核检验报告			

续表 10.3.1

检查项目			检查要求与方法	检查结果		
				合格	基本合格	不合格
防爆安全检查	22*	防爆安全检查	10.3.11,现场检查、复核检验报告			
	23	防爆处置、防护设施	10.3.11,现场检查			
	24	监视和回放图像质量	10.3.11,复核检验报告			
楼寓对讲(访客对讲)	25*	双向对讲、可视、开锁	10.3.12,现场检查			
	26	系统管理	10.3.12,复核检验报告			
	27	系统安全管控措施	10.3.12,现场检查、复核检验报告			
电子巡查	28	线路设置、报警设置、统计报表	10.3.13,复核检验报告			
集成与联网	29	系统构架、集成联网方式	10.3.14,复核检验报告			
	30	冗余备份	10.3.14,复核检验报告			
	31*	安全防范管理平台	10.3.14,现场检查			
监控中心	32	选址与布局	10.3.15,现场检查			
	33*	自身防护	10.3.15,现场检查			
	34	环境设施	10.3.15,现场检查			
检查结果 K_j(合格率):			技术验收结论:			
技术验收组(人员)签名:			验收日期:			

注:1 在检查结果栏选符合实际情况的空格内打"√",并作为统计数。

2 检查结果:K_j(合格率)=(合格数+基本合格数×0.6)/ 项目检查数(项目检查数如无要求或实际缺项未检查的,不计在内)。

3 验收结论:K_j(合格率)≥0.8 判为通过;0.8>K_j(合格率)≥0.6 判为基本通过;K_j(合格率)<0.6 判为不通过。

4 序号右上角打"*"的为重点项目,检查结果只要有一项不合格的,则 K_j(合格率)<0.6。

10.3.2 系统主要技术性能指标应根据设计任务书、深化设计文件和工程合同等文件确定，并在逐项检查中进行复核。

10.3.3 设备配置的检查应包括设备数量、型号及安装部位的检查。

10.3.4 主要安防产品的质量证明的检查应包括产品检测报告、认证证书等文件的有效性。

10.3.5 系统供电的检查应包括系统主电源形式及供电模式。当配置备用电源时，应检查备用电源的自动切换功能和应急供电时间。

10.3.6 实体防护系统应重点检查下列内容：

1 应检查周界实体防护、建(构)筑物和实体装置的设置；

2 对于实体防护设备的外露部分，应查验现场实物与设计文件的一致性；对于隐蔽部分，应查验隐蔽工程随工验收单；

3 应检查出入口实体屏障、车辆实体屏障的限制、阻挡等功能；

4 应检查安防照明的覆盖范围和警示标志的设置。

10.3.7 入侵和紧急报警系统应重点检查下列内容：

1 应检查系统的探测、防拆、设置、操作等功能；探测功能的检查应包括对入侵探测器的安装位置、角度、探测范围等；

2 应检查入侵探测器、紧急报警装置的报警响应时间；

3 当有声音和(或)图像复核要求时，应检查现场声音和(或)图像与报警事件的对应关系、采集范围和效果；

4 当有联动要求时，应检查预设的联动要求与联动执行情况。

10.3.8 视频监控系统应重点检查下列内容：

1 应检查系统的采集、监视、远程控制、记录与回放功能；

2 应检查系统的图像质量、信息存储时间等；

3 当系统具有视频/音频智能分析功能时，应检查智能分析功能的实际效果；

4 应检查用户权限管理、操作与运行日志管理、设备管理等管理功能。

10.3.9 出入口控制系统应重点检查下列内容：

1 应检查系统的识读方式、受控区划分、出入权限设置与执行机构的控制等功能；

2 应检查系统（包括相关部件或线缆）采取的自我保护措施和配置，并与系统的安全等级相适应；

3 应根据建筑物消防要求，现场模拟发生火警或需紧急疏散，检查系统的应急疏散功能。

10.3.10 停车库（场）安全管理系统应重点检查下列内容：

1 应检查出入控制、车辆识别、行车疏导（车位引导）等功能；

2 应检查停车库（场）内部紧急报警、视频监控、电子巡查等安全防范措施。

10.3.11 防爆安全检查系统应重点检查下列内容：

1 应检查防爆安全检查系统的功能和性能；

2 应检查防爆处置、防护设施的设置情况；

3 应检查安检区视频监控装置的监视和回放图像质量。

10.3.12 楼寓对讲（访客对讲）系统应重点检查下列内容：

1 应检查双向对讲、可视、开锁等功能；

2 有管理机的系统，应检查设备管理和权限管理等功能；

3 应检查无线扩展终端、远程控制的安全管控措施。

10.3.13 电子巡查系统应检查巡查线路设置、报警设置、统计报表等功能。

10.3.14 集成与联网应重点检查下列内容：

1 应检查系统架构、集成联网方式、存储管理模式、边界安全管控措施等；

2 应检查重要软硬件及关键路由的冗余设置；

3 应检查安全防范管理平台软件功能。

10.3.15 监控中心应重点检查下列内容：

1 应检查监控中心的选址、功能区划分和设备的布局；

2 应检查监控中心的通信手段、紧急报警、视频监控、出入口控制和实体防护等自身防护措施；

3 应检查监控中心的温湿度、照度、噪声、地面等环境情况。

10.3.16 根据检查记录，按照表 10.3.1 规定的计算方法统计合格率，并给出技术验收通过、基本通过或不通过的结论。

10.4 资 料 审 查

10.4.1 按表 10.4.1 所列项目与要求，审查竣工文件的规范性、完整性、准确性，并做好记录。

表 10.4.1 资料审查表

工程名称：		工程地址：								
建设单位：		设计单位：								
施工单位：		监理单位：								
审查内容		审查情况								
		规范性			完整性			准确性		
		合格	基本合格	不合格	合格	基本合格	不合格	合格	基本合格	不合格
1	申请立项的文件									
2	批准立项的文件		/			/		/		
3	项目合同书		/			/		/		
4	设计任务书		/			/		/		
5	初步设计文件									
6	初步设计方案评审意见（含评审小组人员名单）		/			/		/		
7	通过初步设计评审的整改落实意见									
8	深化设计文件和相关图纸									
9	工程变更资料（或工程洽商资料）									

续表 10.4.1

审查内容		审查情况								
		规范性			完整性			准确性		
		合格	基本合格	不合格	合格	基本合格	不合格	合格	基本合格	不合格
10	系统调试报告(含各子系统调试及系统联调记录)									
11	隐蔽工程验收资料									
12	施工质量检验、验收资料									
13	系统试运行报告(含试运行记录)									
14	工程竣工报告									
15	工程初验报告									
16	工程竣工核算报告									
17	工程检验报告									
18	使用/维护手册									
19	技术培训文件									
20	竣工图纸									
审查结果 K_z(合格率)：		资料审查结论：								
资料审查组(人员)签名：		验收日期：								

注：1 审查情况栏内分别根据规范性、完整性、准确性要求，选择符合实际情况的空格内打“√”，并作为统计数；

2 未经检验机构检验的工程，第17项可以省略；

3 审查结果：K_z(合格率)＝(合格数＋基本合格数×0.6)/项目审查数，(项目审查数如不作为要求的，不计在内)；

4 审查结论：K_z(合格率)≥0.8判为通过；0.8＞K_z(合格率)≥0.6判为基本通过；K_z(合格率)＜0.6判为不通过。

10.4.2 根据审查记录，按照表10.4.1规定的计算方法统计合格率，并给出资料审查通过、基本通过或不通过的结论。

10.5 验收结论

10.5.1 安全防范工程的施工验收结果 K_s、技术验收结果 K_j、资

料审查结果 K_z 均大于或等于 0.8 的，应判定为验收通过。

10.5.2 安全防范工程的施工验收结果 K_s、技术验收结果 K_j、资料审查结果 K_z 均大于或等于 0.6，且 K_s、K_j、K_z 中出现一项小于 0.8 的，应判定为验收基本通过。

10.5.3 安全防范工程的施工验收结果 K_s、技术验收结果 K_j、资料审查结果 K_z 中出现一项小于 0.6 的，应判定为验收不通过。

10.5.4 工程验收组应将验收通过、基本通过或不通过的验收结论填写于验收结论汇总表(表 10.5.4)，并对验收中存在的主要问题提出建议与要求。

表 10.5.4 验收结论汇总表

工程名称：		工程地址：	
建设单位：		设计单位：	
施工单位：		监理单位：	
施工验收结论		验收人签名：	年　月　日
技术验收结论		验收人签名：	年　月　日
资料审查结论		审查人签名：	年　月　日
工程验收结论		验收组组长签名：	
建议与要求：			年　月　日

注：1 本汇总表应附表 10.2.1、表 10.3.1、表 10.4.1 及出席验收会与验收组人员名单(签名)；

2 验收(审查)结论一律填写“通过”“基本通过”或“不通过”。

10.5.5 验收不通过的工程不得正式交付使用。施工单位、设计单位、建设(使用)单位等应根据验收组提出的意见与要求，落实整改措施后方可再次组织验收；工程复验时，对原不通过部分的抽样比例应加倍。

10.5.6 验收通过或基本通过的工程，施工单位、设计单位、建设(使用)单位等应根据验收组提出的建议与要求，落实整改措施。施工单位、设计单位的整改落实后应提交书面报告并经建设(使用)单位确认。

11 系统运行与维护

11.1 一 般 规 定

11.1.1 安全防范工程竣工移交后，应开展安全防范系统的运行与维护工作。

11.1.2 建设(使用)单位应根据安全防范管理要求、系统规模和竣工文件，编制系统运行与维护的工作规划，建立系统运行与维护保障机制。

11.1.3 系统运行与维护单位可以是建设(使用)单位，也可以是建设(使用)单位委托的第三方运维服务机构。

11.1.4 系统运行与维护单位应建立安全防范系统设备台账，并对系统和设备的全生命周期进行管理。

11.1.5 系统运行与维护工作应落实保密责任与措施。

11.1.6 系统运行与维护人员应经培训和考核合格后上岗。

11.1.7 第三方运维服务机构在退出系统运行与维护工作时，应做好移交工作。

11.2 系 统 运 行

11.2.1 系统运行单位应组建系统运行工作团队，制定日常管理、值机、现场处置、例会、安全保密、培训和考核等制度，统筹协调与系统运行有关的机构、人员等各项资源。

11.2.2 系统运行单位应确认系统运行环境，并符合下列规定：

1 应确认入侵和紧急报警系统的探测点位、布撤防时间、报警信息记录与存储、与视频和(或)出入口控制系统联动规则、操作权限、运行日志和操作日志存储时间等系统配置和参数；

2 应确认视频监控系统监视点位、视频信息记录与存储、与入侵和紧急报警和(或)出入口控制系统联动规则、操作权限、运行日志和操作日志存储时间等系统配置和参数；

3 应确认出入口控制系统的受控点、出入控制权限、人员出入信息记录与存储、与入侵和紧急报警和(或)视频监控系统联动规则、操作权限、运行日志和操作日志存储时间等系统配置和参数；

4 应确认其他子系统前端设备点位、工作要求、联动规则、操作权限、运行日志和操作日志存储时间等系统配置和参数；

5 应确认系统和设备的时钟偏差是否符合国家现行有关标准的规定。

11.2.3 系统运行单位应确认系统运行作业内容，并符合下列规定：

1 应确认系统运行中需要管理的事件、报警信息类型清单等内容；

2 应根据事件、报警信息类型清单，结合保护对象所在的周边、道路、人流密集区域、案(事)件多发地段等情况，确认相应运行作业的报警和接收、监视和录像、授权和控制等要求。

11.2.4 系统运行单位应根据国家现行有关标准的规定，编制系统运行作业指导文件。作业指导文件应至少包括下列内容：

1 值机员、现场处置员岗位职责；

2 运行作业内容、要求与处置流程；

3 突发事件应急预案；

4 值机日志要求；

5 值机交接班要求。

11.2.5 系统运行应根据作业指导文件进行值机、现场处置等操作，并符合下列规定：

1 宜对值机员、现场处置员的操作、处置过程进行记录；

2 应对事件/报警信息处置操作情况进行监督、检查，对事件/报警信息进行分类统计和分析；

3 宜对报警信息采用包括视频、电话、声音等手段进行复核，无法确认现场情况的，应指派现场处置员赴现场复核。

11.2.6 系统运行单位应对系统运行环境、运行作业和内容进行符合性检查。

11.2.7 同时接入监控中心和公安机关接警中心的紧急报警，监控中心值机人员应核实公安机关是否收到报警信息。

11.3 系统维护

11.3.1 系统维护应包括日常维护、故障处理、特殊时期保障、维护评价等。日常维护中遇故障报修时，应优先按故障处理程序对故障进行处理。特殊时期保障应根据需要加强维护人员、备件的配置。

11.3.2 系统维护单位应组建系统维护工作团队，制定日常管理、岗位责任、培训、评价和考核等制度，建立工作程序，编制维护工作技术手册。

11.3.3 系统维护单位应有保障系统和设备正常运行、数据安全的措施。

11.3.4 系统维护单位宜建立系统维护需要的针对维护对象的监测工具、专用工具和维护过程的电子信息化管理工具等。接入设备多、规模大的系统，可根据需要建设专门的运行维护管理平台。

11.3.5 系统维护工作实施前，系统维护单位应做好系统勘察、系统维护方案编制、实施条件等的准备工作，并应符合下列规定：

1 应进行系统勘察并编制勘察报告，勘察报告宜包括下列内容：

1）系统建设状况；

2）系统使用的物理环境情况；

3）系统防护效能情况；

4）原有系统的维护情况；

5)监控中心(室)建设情况;

6)系统的备品备件情况;

7)系统维护的建议。

2 应根据勘察报告编制系统维护方案,系统维护方案应包括但不限于下列内容:

1)需要维护的系统和设备、工作内容、要求;

2)维护团队、管理制度、技术支撑系统和评价考核方法;

3)备品备件管理、采购、替代方案;

4)系统维护工作的受理、响应、回访、用户满意度调查等服务机制;

5)突发事件处置预案;

6)满足系统维护要求的费用预算。

3 系统维护单位部署系统维护监测工具、专用工具和管理工具等,应取得建设(使用)单位的授权。

4 系统维护单位应根据维护方案做好有关技术、文件等资料的准备工作,包括但不限于下列内容:

1)符合安全防范工程现状的图纸;

2)相关部门出具的法律文书;

3)系统设备台账;

4)产品说明书、系统操作手册和维护手册;

5)系统和设备的测试记录、运行与维护记录;

6)供应商通讯录、集成商通讯录及分包商通讯录;

7)系统和设备的安装软件、备品备件和在市场上可替代品的采购资料。

11.3.6 日常维护应符合下列规定:

1 应按照现行行业标准《安全防范系统维护保养规范》GA 1081 的相关规定对入侵报警系统、视频监控系统、出入口控制系统、电子巡查系统、停车库(场)安全管理系统、安全防范管理平台和监控中心等进行维护保养;

2 对安全防范涉及的实体防护系统及其他系统，应根据维护工作的内容、要求等，制定相应的维护方案并实施维护保养；

3 应按照国家现行有关标准的规定，对系统涉及的弱电间、线缆与管道等进行维护；

4 应定期统计各子系统设备的在线率和完好率；

5 应对系统维护的过程进行详细记录，对出现问题或相关性能指标有偏差的系统和设备，应根据系统维护方案的要求进行处理和调整，并经相关方确认后存档；

6 系统和设备的维护周期应根据安全防范管理要求与各系统/设备的运行情况综合确定，不应超过六个月；

7 应编制日常维护报告。

11.3.7 故障处理应符合下列规定：

1 应根据安全防范管理要求和（或）服务合同确定故障处理响应时间，并应符合国家现行有关标准的规定；

2 应对系统和设备故障进行分级，并优先对高等级故障进行处理；

3 应对故障维修情况进行详细记录，并对故障设备后续运行情况进行跟踪；

4 应编制故障处理报告。

11.3.8 特殊时期保障应符合下列规定：

1 应根据特殊时期保障的要求组建保障工作小组，确认保障的系统、工作程序、故障处理原则、应急预案等，配备仪器仪表、备品备件、应急通信设施等；

2 应进行系统现场勘察，对需要保障的系统进行资料整理、核查；

3 应对需要保障的系统进行预检、预修和调整；

4 应编制特殊时期保障工作报告。

11.3.9 系统维护单位应根据系统维护工作情况，优化管理制度和工作程序。宜向建设（使用）单位提出系统设备的优化、改造建议。

11.3.10 建设(使用)单位应对系统维护工作进行评价,包括系统维护工作效果和维护人员的工作态度、工作效率、安全生产等。系统维护单位应根据评价意见进行相应的改进。

12 咨询服务

12.1 一般规定

12.1.1 安全防范工程咨询可包括对工程的立项、设计、施工、工程初步验收与系统试运行、检验与验收以及系统的运行与维护等全生命周期的咨询服务工作。

12.1.2 咨询服务机构应根据建设(使用)单位对咨询服务的需求,组建项目咨询团队,并将人员构成与角色分配、任务分工等书面通知建设单位。

12.1.3 咨询信息的调查和采集应遵守国家有关法律、法规的规定。

12.2 咨询服务内容

12.2.1 立项阶段的咨询服务包括下列内容:

1 协助建设单位确定安全需求;

2 对保护对象进行风险评估;

3 对项目建议书、可行性研究报告和设计任务书的编制等提供咨询服务。项目建议书、可行性研究报告和设计任务书的编制咨询工作应依据风险评估结果,在安全防范措施、系统设计要求、投资额度、效益分析等方面提出建议。

12.2.2 设计阶段的咨询服务包括下列内容:

1 对保护对象的风险防范措施、安全防范系统功能性能要求、投资总量概算、工程总量确定、工程建设周期的合理性等方面向建设单位提出建议;

2 对设计单位的现场勘察报告及拟定的建设方案等提出意见和建议;

3 对设计方案、施工图纸等的设计深度、与规范标准的符合性以及过度设计提出意见和建议；

4 对工程量清单的编制规范性、完整性提出意见和建议；

5 对由于设计缺陷等导致的剩余风险和次生风险进行识别、分析，并提出意见和建议。

12.2.3 施工阶段的咨询服务包括对工程变更事项的可行性、合理性向建设单位提出意见和建议。

12.2.4 工程初步验收与系统试运行阶段的咨询服务包括对初步验收、试运行方案和培训方案等提出意见和建议。

12.2.5 工程检验的咨询服务包括下列内容：

1 对工程施工质量以及系统的功能、性能与设计文件的符合性进行检查；

2 对符合性检查过程中的不合格项，指导施工单位整改落实；

3 对实施工程检验的第三方检验机构的资质和能力进行了解，提出咨询意见和建议。

12.2.6 工程验收的咨询服务包括下列内容：

1 协助建设单位对工程验收所需要的文件资料进行复核；

2 对验收通过或基本通过的安全防范工程，咨询机构应协助建设单位、施工单位落实整改意见；

3 对验收不通过的安全防范工程，咨询机构应协助建设单位、施工单位制定整改方案；

4 对竣工文件的规范性、完整性、准确性等进行检查和指导。

12.2.7 系统运行与维护阶段的咨询服务包括下列内容：

1 根据安全防范管理要求，对保护对象进行风险评估；

2 对安全防范系统进行系统效能评估。

本标准用词说明

1 为便于在执行本标准条文时区别对待，对要求严格程度不同的用词说明如下：

1) 表示很严格，非这样做不可的：
正面词采用“必须”，反面词采用“严禁”；

2) 表示严格，在正常情况下均应这样做的：
正面词采用“应”，反面词采用“不应”或“不得”；

3) 表示允许稍有选择，在条件许可时首先应这样做的：
正面词采用“宜”，反面词采用“不宜”；

4) 表示有选择，在一定条件下可以这样做的，采用“可”。

2 条文中指明应按其他有关标准执行的写法为：“应符合……的规定”或“应按……执行”。

引用标准名录

《建筑物防雷设计规范》GB 50057

《民用闭路监视电视系统工程技术规范》GB 50198

《综合布线系统工程设计规范》GB 50311

《综合布线系统工程验收规范》GB 50312

《建设工程监理规范》GB/T 50319

《建设工程项目管理规范》GB/T 50326

《建筑物电子信息系统防雷技术规范》GB 50343

《视频显示系统工程技术规范》GB 50464

《视频显示系统工程测量规范》GB/T 50525

《电磁屏蔽室工程技术规范》GB/T 50719

《通信线路工程设计规范》GB 51158

《建筑电气工程电磁兼容技术规范》GB 51204

《计数抽样检验程序　第1部分：按接收质量限（AQL）检索的逐批检验抽样计划》GB/T 2828.1

《电磁环境控制限制》GB 8702

《电能质量　公用电网谐波》GB/T 14549

《安全防范报警设备环境适应性要求和试验方法》GB/T 15211

《安全防范系统供电技术要求》GB/T 15408

《安全防范报警设备　安全要求和试验方法》GB 16796

《公共安全视频监控联网系统信息传输、交换、控制技术要求》GB/T 28181

《安全防范报警设备电磁兼容抗扰度要求和试验方法》GB/T 30148

《民用建筑电气设计规范》JGJ 16

《安全防范系统维护保养规范》GA 1081

《安防线缆》GA/T 1297

《安防线缆应用技术要求》GA/T 1406

《通信系统用室外机柜安装设计规定》YD/T 5186

《辐射环境保护管理导则-电磁辐射监测仪器和方法》HJ/T 10.2

《电磁兼容　限值　对额定电流大于16A的设备在低压供电系统中产生的谐波电流的限值》GB/Z 17625.6

中华人民共和国国家标准

安全防范工程技术标准

GB 50348 - 2018

条 文 说 明

编 制 说 明

《安全防范工程技术标准》GB 50348—2018，经住房城乡建设部2018年5月14日以2018年第84号公告批准、发布。

本标准是对《安全防范工程技术规范》GB 50348—2004的修订。标准编制组认真总结了十几年来我国安全防范工程建设和系统运行维护的实践经验，以及安全防范技术、应用的最新成果，在原标准的基础上增加了风险防范规划、系统架构规划、人力防范规划、实体防护设计以及工程建设程序、监理、运行、维护、咨询服务等内容，删除了原标准中高风险对象和普通风险对象的安全防范工程设计内容，将标准内容定位在安全防范工程建设和系统运行维护的通用要求，贯彻了安全防范工程建设和系统运行维护全生命周期管理的理念，内容更加系统和全面。

为便于广大用户在使用本标准时能正确理解和执行条文规定，标准编制组按章、节、条、款顺序编制了本标准的条文说明，对条文规定的目的、依据以及执行中需注意的有关事项进行了说明，还着重对强制性条文的强制性理由做了解释。但是，条文说明不具备与标准正文同等的法律效力，仅供使用者作为理解和把握标准规定的参考。

目　　次

1　总　　则 ………………………………………………………… (141)
2　术　　语 ………………………………………………………… (142)
3　基本规定 ………………………………………………………… (147)
4　规　　划 ………………………………………………………… (150)
4.1　风险防范规划…………………………………………………… (150)
4.2　系统架构规划…………………………………………………… (152)
4.3　人力防范规划…………………………………………………… (157)
5　工程建设程序 …………………………………………………… (159)
5.1　一般规定 ……………………………………………………… (159)
5.2　项目立项 ……………………………………………………… (161)
5.3　工程设计 ……………………………………………………… (162)
5.4　工程施工 ……………………………………………………… (166)
5.5　工程初步验收与试运行 ……………………………………… (168)
5.6　工程检验、验收及移交………………………………………… (169)
6　工程设计 ………………………………………………………… (171)
6.1　一般规定 ……………………………………………………… (171)
6.2　现场勘察 ……………………………………………………… (171)
6.3　实体防护设计…………………………………………………… (172)
6.4　电子防护设计…………………………………………………… (179)
6.5　集成与联网设计 ……………………………………………… (208)
6.6　安全性设计 …………………………………………………… (210)
6.8　可靠性设计 …………………………………………………… (214)
6.9　可维护性设计…………………………………………………… (215)
6.10　环境适应性设计 …………………………………………… (215)

6.11 防雷与接地设计 …………………………………………………… (216)
6.12 供电设计 ………………………………………………………… (217)
6.13 信号传输设计 …………………………………………………… (221)
6.14 监控中心设计 …………………………………………………… (226)
7 工程施工 ……………………………………………………………… (229)
7.1 施工准备 ………………………………………………………… (229)
7.2 工程施工 ………………………………………………………… (229)
7.3 系统调试 ………………………………………………………… (234)
8 工程监理 ……………………………………………………………… (236)
8.1 一般规定 ………………………………………………………… (236)
8.2 施工准备的监理 ………………………………………………… (239)
8.3 工程施工的监理 ………………………………………………… (240)
8.4 系统调试的监理 ………………………………………………… (243)
8.5 工程初步验收与系统试运行的监理 …………………………… (243)
9 工程检验 ……………………………………………………………… (246)
9.1 一般规定 ………………………………………………………… (246)
9.2 系统架构检验 …………………………………………………… (248)
9.4 电子防护检验 …………………………………………………… (248)
9.5 安全性、电磁兼容性、防雷与接地检验 ………………………… (248)
10 工程验收 …………………………………………………………… (250)
10.1 验收组织 ……………………………………………………… (250)
10.2 施工验收 ……………………………………………………… (251)
10.3 技术验收 ……………………………………………………… (251)
10.4 资料审查 ……………………………………………………… (251)
10.5 验收结论 ……………………………………………………… (252)
11 系统运行与维护 …………………………………………………… (254)
11.1 一般规定 ……………………………………………………… (254)
11.2 系统运行 ……………………………………………………… (256)
11.3 系统维护 ……………………………………………………… (260)

12 咨询服务 …………………………………………………… (270)
12.1 一般规定 ……………………………………………………… (270)
12.2 咨询服务内容 ………………………………………………… (270)

1 总　　则

1.0.4 安全防范工程建设是构建社会安全综合治理体系的重要组成部分，它要服务于社会安全，更要服务于社会管理、国家治理体系和治理能力的现代化建设。

实际上，任何一个安全防范系统在有限的资源和时空条件下，只能针对特定风险达到有限防范的效果，无法做到万无一失。

1.0.5 当安全防范工程中选用先进技术和智能化设备时，应充分考虑设备自身存在安全隐患及其可能给安全防范系统带来的次生安全隐患，并采取措施加以避免。

1.0.6 在涉及国家安全、国家秘密的特殊领域开展安全防范工程建设时，应选择安全可靠的设计、施工单位。选用的产品、设备应安全可控，避免信息泄露等安全隐患。选择的专业设计、施工和服务机构（包括人员）也应安全可靠，避免信息失窃等隐患。

对于保密工程，应遵循国家有关保密规定，包括不得公开招标；对工程建设的勘察、设计、施工和监理单位进行保密审查；建设单位应制定具体的保密管理措施和方案，并与工程的勘察、设计、施工和监理单位签订保密协议；建设单位应进行全过程的保密监督管理等。

本条是强制性条文，必须严格执行。

2 术　　语

2.0.1 安全通常定义为没有危险、不受威胁、不出事故的一种状态。通过防范的手段达到安全的目的，就是安全防范工作的全部内容。安全是目的，防范是手段。

我国政府将公共安全事件分为四类：自然灾害、事故灾难、公共卫生事件、社会安全事件。广义的安全防范可定义为：做好准备和防护，以应付攻击或避免受害，从而使被保护对象处于没有危险、不受侵害、不出事故的安全状态。

本标准所定义的安全防范主要是从社会治安防范和反恐防范的角度提出的。

防范不可能是无限防范，再多的防范措施和手段也是有限防范，因此，安全也是相对的，没有绝对的、百分之百的安全，“万无一失”只是人们期望的一种理想状态。

2.0.2 安全管理行为包括制度建设以及系统值机、事件处置、防御、对抗等必要的人力保障。

2.0.3 实体防范通常采用的手段包括利用天然屏障设置人工屏障，采用实体防护设备、器具等，提高的是延迟、阻挡和防御能力。

天然屏障是指与保护对象相邻的山地河流等。人工屏障是指建（构）筑物主体及其附属设施（如配套的道路景观等）以及针对周界和具体保护目标所设置的围墙、栅栏等防护设施。

2.0.4 电子防范直接提高的往往是安全防范系统的探测能力。相应地，也会提高整体的延迟和反应能力。如提前探测到入侵事件，因此增加了延迟时间，使响应、处置更加有效。对于出入口控制系统的编码识读装置的抗扫描功能（连续输入错误密码时，系统自动锁止一定时间）也是电子防范提高延迟能力的一种体现。

2.0.5 与安全防范的定义一样，本标准定义的安全防范系统也是针对社会治安防范和反恐防范所提出的。

2.0.9 入侵和紧急报警系统，有时可能仅配置了利用传感器技术和电子信息技术探测非法进入或试图非法进入设防区域的行为发出报警信息、处理报警信息，此时入侵和紧急报警系统就可仅称作入侵报警系统；有时可能仅配置了由用户主动触发紧急报警装置发出报警信息、处理报警信息，此时入侵和紧急报警系统就可仅称作紧急报警系统。

入侵报警系统和紧急报警系统可以是两个独立的系统。通常情况下的报警系统可同时支持入侵报警和紧急报警功能，并且使用同一套控制指示设备。

入侵和紧急报警系统以前简单被称作入侵报警系统。

2.0.10 视频监控系统，以前被称作视频安防监控系统或安防视频监控系统。考虑与国际标准的术语统一，现称为视频监控系统。

2.0.11 出入口控制系统俗称门禁系统。

2.0.18 《企业事业单位内部治安保卫条例》(国务院第421号令)第十三条规定：关系全国或者所在地区国计民生、国家安全和公共安全的单位是治安保卫重点单位。治安保卫重点单位由县级以上地方各级人民政府公安机关按照下列范围提出，报本级人民政府确定：

(一)广播电台、电视台、通讯社等重要新闻单位；

(二)机场、港口、大型车站等重要交通枢纽；

(三)国防科技工业重要产品的研制、生产单位；

(四)电信、邮政、金融单位；

(五)大型能源动力设施、水利设施和城市水、电、燃气、热力供应设施；

(六)大型物资储备单位和大型商贸中心；

(七)教育、科研、医疗单位和大型文化、体育场所；

(八)博物馆、档案馆和重点文物保护单位；

（九）研制、生产、销售、储存危险物品或者实验、保藏传染性菌种、毒种的单位；

（十）国家重点建设工程单位；

（十一）其他需要列为治安保卫重点的单位。

《中华人民共和国反恐怖主义法》第三十一条规定：公安机关应当会同有关部门，将遭受恐怖袭击的可能性较大以及遭受恐怖袭击可能造成重大的人身伤亡、财产损失或者社会影响的单位、场所、活动、设施等确定为防范恐怖袭击的重点目标，报本级反恐怖主义工作领导机构备案。

2.0.20 “风险”一词，古已有之。古指渔民在出海捕鱼的大量实践中逐渐认识到不可预测的风浪会带给他们船毁人亡的灾难性威胁，从而形成了有风就有险的“风险意识”，这就是“风险”一词的本意。现代，风险一词的含义扩展得十分宽泛，各行各业都有自己的风险定义。为了统一风险的定义，国际标准化组织 ISO 经过四年的讨论之后于 2009 年召开会议，投票表决，正式通过并发布了国际标准《风险管理——原则与指南》ISO31000：2009，给出了风险的现代定义。我国国家标准《风险管理　术语》GB/T 23694—2013 等同采用了这个定义。

在现行国家标准《风险管理　术语》GB/T 23694—2013 中对风险的定义如下：

风险：不确定性对目标的影响。

注 1：影响是指偏离预期，可以是正面的和（或）负面的。

注 2：目标可以是不同方面（如财务、健康与安全、环境等）和层面（如战略、组织、项目、产品和过程等）的目标。

注 3：通常用潜在事件、后果或者两者的组合来区分风险。

注 4：通常用事件后果（包括情形的变化）和事件发生可能性的组合来表示风险。

注 5：不确定性是指对事件及其后果或可能性的信息缺失或了解片面的状态。

以上风险的定义是广义的，指出了风险的两重性，即正面和负面，机会和威胁。

本标准所定义的风险主要是从社会治安风险、恐怖袭击风险的角度提出的。保护对象自身的安全隐患包括制度缺失、管理漏洞等因素。

2.0.21 在现行国际标准和我国国家标准中，对风险评估活动的表述通常包括风险识别、风险分析和风险评价三个环节。

风险识别是指发现、确认和描述风险的过程。

风险分析是指理解风险性质，对风险发生的可能性以及风险发生后造成损失（或影响）大小进行分析的过程。

风险评价是指对比风险分析结果和风险准则，确定风险等级的过程。

风险准则是指为进行风险分析或风险评价，根据法律、政策、标准和专家经验等而制定的准则或依据。

风险评估的目的是为风险应对奠定基础。风险应对是处理风险的过程。可包括但不限于下列措施：

——消除或转移风险源；

——降低风险发生的可能性；

——减小风险发生后的损失或影响；

——保留可容忍的风险等。

需要引起重视的是，风险应对可能产生新的风险或改变现有风险。

本标准所定义的风险评估的最终目的是确认安全防范工程所需要防范的风险。

2.0.22 根据定义，风险等级是对风险事件的分级。而我们以前通常所说的单位、部位或目标的风险等级可以理解为定义中的组合风险的等级。

2.0.33 出入口控制点是指用于放行被授权、拒绝未被授权的人员和（或）物品出入的受控物理通道口。

具有相同出入权限的多个受控区，互为同权限受控区。比某受控区的出入权限更为严格的其他受控区，是相对于该受控区的高权限受控区。

2.0.35 均衡防护是指安全防范系统各环节的防护要均衡，不能有明显的“短板”。好比木桶原理(也叫木桶定律)，一只水桶能装多少水取决于它最短的那块木板。

2.0.39 安全防范系统效能评估的目的是为了评价系统的有效性，为系统的持续运行、维护、升级、改造或重建提供依据。

安全防范系统效能评估主要包括以下内容：

(1)系统预期效能指标的确定。

开展安全防范系统效能评估，应首先确定预期的系统效能指标，这是效能评估的标尺。

预期的系统效能指标可以是系统建成初期的初始效能指标，也可根据当前安全防范管理要求重新确定新的效能指标。

最常用的系统效能指标就是系统的功能、性能及其防范效果的组合，并且应涵盖实体防护、入侵和紧急报警、视频监控、出入口控制等各子系统。

系统预期效能指标可以通过相关标准、工程设计文件或专家经验获得。

(2)当前安全防范系统效能的分析。

当前安全防范系统效能的分析包括系统功能、性能、防范效果、运行环境和状态等现状的分析。一方面需要对系统功能和性能指标进行检查或检验，另一方面还需对实际运行环境对系统的影响、系统的实际运行状况等进行综合分析。

(3)当前安全防范系统效能满足预期效能指标程度的分析评价。

将当前安全防范系统的效能指标与预期的系统效能指标进行对比、分析，得出系统效能评估的结论。

3 基 本 规 定

3.0.1 这里的“全生命周期”包括安全防范工程的立项、设计、施工、监理、检验、验收以及安全防范系统的运行维护等各阶段。安全防范工程建设之初应对全生命周期进行全面整体规划，包括为工程建设与系统运行维护全周期各环节的工作提供的保障经费。

对于分期实施的安全防范工程，应做好统筹规划，以避免分期实施造成的安全漏洞。

3.0.2 本条对安全防范工程的建设应遵循的原则做了规定。

1 人防、物防、技防是安全防范的三种基本手段，必须相结合，任何单一的防范手段都不可能实现真正的安全。探测、延迟、反应是安全防范的三个基本要素，必须相协调，在满足 $T_{探测}+T_{反应}\leqslant T_{延迟}$ 的条件下，安全防范系统才是一个有效的系统。

3 安全防范系统是用于保护需要保护对象，对抗防范对象攻击的。因此其自身的安全特性，即自身的抗攻击能力是有效发挥防范效能的必要条件。

应根据防范对象的能力和攻击手段，合理选择安全防范系统和设备的安全等级。如在具体选择防盗保险柜产品时，应考虑攻击者使用的破坏工具以及保险柜应提供的防破坏时间，合理选择不同安全等级的产品。

风险等级高的保护对象，通常情况下选择配置安全等级高的系统和设备。

4 纵深防护、均衡防护、抗易损防护是提高安全防范系统的防范效能和系统安全性、可靠性的有效措施。

7 本条文强调安全防范系统是一个实战系统，兼具指挥调度的功能。系统的实时性和原始完整性是实战系统的必然要求。

安全防范系统中的电子防护系统就是要以极小的时延和极高的可靠度，将现场的信息及时准确完整地呈现给系统的后续环节或值机人员等，以便进一步进行各资源的协同配合和及时处置。这其中也包含了传输和存储的数据的不可篡改的要求。

3.0.3 按照项目管理和质量管理的理念，风险评估是安全防范系统的建设和使用过程中的重要活动。除在安全防范工程立项和(或)设计阶段通常需要进行风险评估外，在安全防范工程施工、验收和运行等阶段也需要对系统建成后的次生风险和新生风险进行评估。

安全防范工程建设中的风险评估应至少包括风险识别、风险分析和风险确认三个环节。

3.0.4 安全防范工程中使用的设备、材料的质量直接关系到安全防范工程的质量和安全防范系统的效能。因此，根据国家《强制性产品认证管理规定》，列入强制性产品认证(3C 认证)目录的设备和材料，均应经认证合格后方可在工程中使用。未列入强制性产品认证(3C 认证)目录的，但制定了强制性国家标准或强制性行业标准的设备和材料，均应按相应标准检验合格后方可在工程中使用。

3.0.6 对于普通风险保护对象的安全防范工程，建议进行工程检验。

安防工程检验资质是指检验机构所具有的从事安全防范工程检验所需的基本条件和技术能力，包括获取的资质证书和授权范围，资质证书一般可包括为：CMA、CAL、CNAS，各资质的授权能力范围主要是指能力、方法、项目和涉及的标准，该机构能力范围必须包含本标准以及在本标准中相关的其他标准内容，如金融、小区、博物馆等领域的国家或行业标准及电磁兼容等的方法标准。

3.0.7 为确保安全防范工程的建设质量，应在工程竣工后由验收组对工程进行独立验收。验收内容通常包括施工验收、技术验收及资料审查。

3.0.8 运行维护保障体系和长效工作机制是安全防范系统正常运行和持续发挥安全防范效能的基本保证，通常包括人员、经费、制度和技术支撑系统等多个方面。

3.0.9 安全防范系统风险防范能力的持续有效发挥，是安全防范工程建设的核心目标，而系统运行期间的质量监督与管控，则是实现这个目标的基本保证。如果安全防范实际需求发生变化，应重新进行风险评估，并针对风险采取相应的防范措施。在系统运行过程中，定期或不定期的进行系统效能评估，可以为系统是“继续使用”或“升级改造”或“报废与新建”提供决策依据。

实际上，安全防范系统运行与维护通过对系统局部（设备、部件）的检查、监测、维修、更新从而保持系统功能性能的过程，也包含了对系统局部（设备、部件）的效能评估。

4 规　　划

4.1 风险防范规划

4.1.1 本条条文说明如下：

1 保护对象可以是保护单位的整体范围，也可以是保护单位中的一个或多个部位和（或）区域，或者是需要保护的具体目标。具体保护目标可以是重要的人和（或）物，也可以是各类系统以及组成系统的重要设备和（或）部件等。

2 本款条文说明如下：

（1）对于保护单位的整体范围来说，安全需求通常包括防入侵、防盗窃、防抢劫、防破坏、防爆炸等。

（2）对于保护部位和（或）区域来说，安全需求通常包括防止对部位和（或）区域的入侵或接近、窃听或窃视等。

（3）对于物品目标来说，安全需求通常包括防止被接近、被触及、被移动、被盗窃、被破坏、被损毁等。

（4）对于人员目标来说，安全需求通常包括防止被接近、被伤害等。

（5）对于需要保护的系统和（或）设备和（或）部件来说，安全需求通常包括防止由于各种人为的破坏或攻击，导致系统和（或）设备和（或）部件出现故障、重要业务中断、出现影响安全的异常状态等。

4.1.2 本条条文说明如下：

1 风险识别通常应考虑针对保护对象的风险类型、风险来源与方式等。

本标准所关注的风险类型包括窃听窃视、内部破坏、非法隐蔽进入、非法强行闯入、暴力袭击、汽车炸弹攻击、寄递炸弹攻击、投掷炸弹攻击、远射武器攻击、气体污染、水源污染等。

风险来源与方式通常要考虑防范对象的人员数量及其个人能力，使用的攻击工具，如常规工具、便携式工具、暴力器具或武器等，以及攻击的方法，如交通工具、多人合作等方式。

风险识别结果通常形成全面的风险列表。

2 风险发生可能性和后果严重性通常按不同等级进行划分，例如：

风险发生可能性可分为：几乎不可能、很小、偶尔、很可能、经常五个等级。

风险后果严重性可分为：很小、小、一般、严重、非常严重五个等级。

3 进行风险分析和风险评价，通常先要根据法律、政策、标准和专家经验等预先设定风险准则，例如通过风险矩阵将风险发生的可能性和后果进行组合，确定各种风险的等级。风险等级的级别根据实际需要而定，例如可分为低、中、高三个等级，也可分为很低、低、中、高、很高五个等级，或者采用其他方式表示的等级。

可根据风险的组合，结合风险准则，确定保护单位、部位或区域、目标的风险等级。

4 针对风险评价输出的结果，安全防范工程建设等单位可对部分风险进行忽略和容忍，对部分风险采取风险规避（如取消导致风险的活动，消除风险源）或风险转移（如改变导致风险的活动场所）等措施，进而明确安全防范工程需要防范的具体风险。

4.1.3 本条条文说明如下：

1 本款第4项条文说明如下：

4）以对抗非法隐蔽进入的设计为例：

实体防护可选择设置周界围墙、金属铁丝网、栅栏等。防止单人徒手翻越的围墙高度至少应为2.5m；防止双人叠加翻越的围墙高度至少应为4m。金属铁丝网或栅栏应具有防攀爬措施且宜同步设置振动入侵探测装置。

入侵探测应针对所要探测的翻越、穿越、挖洞等不同行为，选择设置不同类型的产品，如主动红外入侵探测器、振动入侵探测器、光纤振动入侵探测器、甚低频感应入侵探测器、泄漏电缆等。人防响应能力应满足安全管理需要。

根据需要，也可选择同时兼具实体防护和入侵探测功能的张力式电子围栏或脉冲式电子围栏。

视频监控应对周界进行全覆盖，视频监视区域应避免树木等物体遮挡，监视效果应至少能看清周界范围内人员的活动情况。可选择采用具有视频图像智能分析功能的系统和设备，对地面上的人员入侵行为探测报警。

5 本款第2项和第4项条文说明如下：

2）对小型固定目标，可考虑采用保险柜（箱）、防砸（弹）玻璃柜等措施。

对移动目标，如重要人员，可考虑采用防弹衣、防刺服等措施；对移动物品可考虑采用保险柜（箱）等措施。

4）如文物交接、运钞交接全过程监控，重要人员保卫等应确保对保护目标的持续跟踪监控。

6 人员密集、大流量的人员出入口、通道等处是容易发生拥挤、踩踏事故的区域，因此，在这些部位和区域进行出入口控制、加固围挡物防设施外，采取人员疏导和快速通行措施，主要是防止发生人员拥挤、踩踏等事件。

4.1.4 本条第7款条文说明如下：

7 如数据的加密传输和存储、传输路由多物理路径配置、数据存储的异地灾备等。

4.2 系统架构规划

4.2.2 本条条文说明如下：

1 安全防范系统通常由实体防护系统和（或）电子防护系统构成。根据需要，安全防范系统还可配置对这些系统进行集成的安全防范管理平台。

2 实体防护系统通常由天然屏障和（或）人工屏障和（或）防

护器具(设备)等构成。

(1)本条文包含三个层面的要素:①要充分利用天然屏障;②建(构)筑物主体要与附属工程进行综合设计;③要对周界、具体防护目标进行针对性设计。

(2)天然屏障是指由天然而成的能够阻止进入、妨碍穿越、遮挡视线等功能的屏障,例如:山谷、丘陵、河流、丛林、沙漠等自然地貌和地形以及植被。

(3)人工屏障包括建(构)筑物主体及其附属设施(如配套的道路、景观等)以及针对周界和具体保护目标所设置的围墙、栅栏等防护设施。

(4)对于建筑物而言,建筑主体一般指供人们进行生产、生活或其他活动的房屋或场所。建筑物的主体工程包括:地基与基础分部工程、主体结构分部工程、屋面分部工程、楼地面分部工程、门窗分部工程、装饰装修分部工程六大部分。

(5)建筑工程的附属工程包括:①与建筑物配套的围墙;②室外排水设施(排水沟、排水管、检查井);③园林景观工程:道路工程、绿化工程、景观工程(含景观灯饰、室外照明灯);④挡土墙、室外土石方等;⑤室外通道、楼梯;⑥停车场、车棚、垃圾站等。

3 电子防护系统可由一个或多个子系统构成。电子防护系统的子系统通常包括入侵和紧急报警系统、视频监控系统、出入口控制系统、停车库(场)安全管理系统、防爆安全检查系统、电子巡查系统和楼寓对讲系统等。

电子防护各子系统的基本配置包括前端、传输、信息处理/控制/管理、显示/记录等单元。不同的子系统,其各单元的具体设备构成有所不同。

4.2.3 这些资源通常包括基于安全防范系统专用传输网络建设的安全防范各子系统和(或)其他子系统信息资源,也可以包括基于其他政府/行业/企事业单位专网和(或)互联网建设的其他安防系统和(或)其他业务系统的信息资源。

4.2.4 本条条文说明如下：

3 其他子系统是指与安全防范系统有密切关系的应急对讲系统、应急广播系统和应急照明系统等。

5 一个具有横向集成和纵向级联功能的安全防范系统架构见图1。

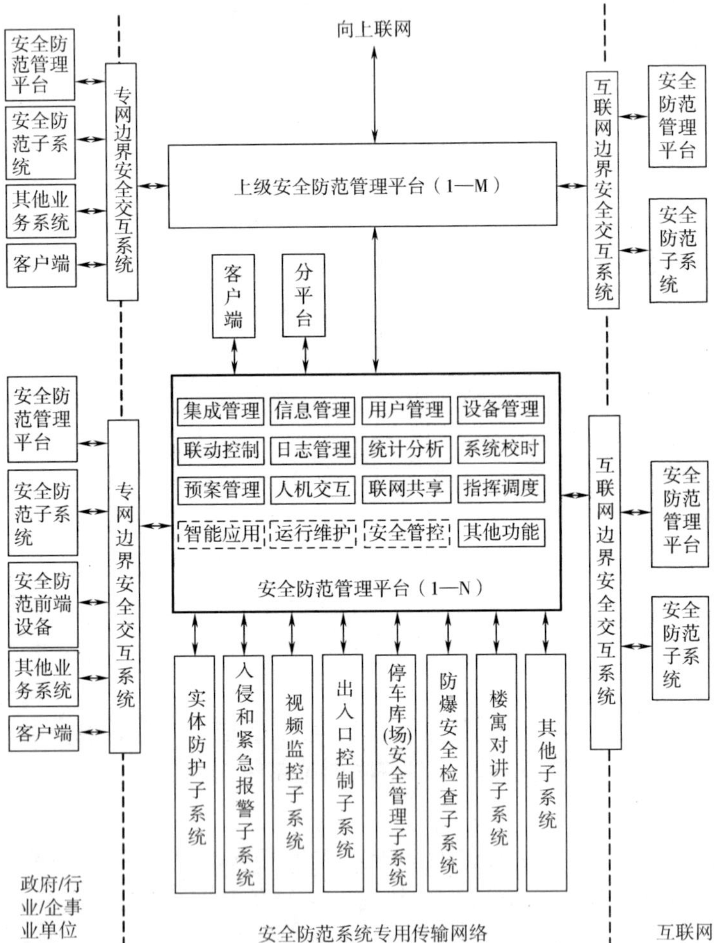

图1 安全防范系统集成联网架构图

图中的其他业务系统是指火灾报警系统、相关数据库等其他信息系统。

图中的安全防范前端设备主要是指摄像机。比如在公共安全视频监控建设联网应用中，要将各行业领域自建的涉及公共区域的视频图像信息联网，有的行业涉及公共区域的摄像机很少，有可能采用这种接入方式联网。

4.2.5 传输网络依据传输技术的不同，可分为有线网络、无线网络及其混合网络。有线网络按照传输介质的不同，可分为光纤网络和电缆网络。

本标准推荐安全防范系统的主干传输网络优先采用独立设置的光纤网络。在目前的安防工程中，常见的主干传输网络是专用的 IP 光纤网络。

系统传输的通信链路指标包括传输衰耗、网络带宽、延时、延时抖动和丢包率等。

4.2.6 根据安全管理需要，安全防范系统可以通过一个安全防范管理平台实现对各安防子系统以及其他子系统的集成，也可以将一个或多个安全防范管理平台的信息向上级联，形成多级联网，实现信息的汇聚与共享。

4.2.8 数据存储管理模式可分为分布存储分布管理、分布存储集中管理、传统集中存储集中管理、云存储管理等多种模式。

分布存储分布管理模式是指各子系统独立存储自身数据，独立管理界面，各自授权。

分布存储集中管理模式是指各子系统独立存储数据，独立管理，但可以提供统一的集成界面，集中管理所有数据。

传统集中存储集中管理模式是指对各子系统的数据集中一个地点存储、由统一的管理平台进行管理授权，各子系统可以直接控制到各自所属的数据，但系统不可分割。

云存储是指通过集群应用、网格技术或分布式文件系统等方法，将网络中大量各种不同类型的存储设备通过应用软件集合起来协同工作，共同对外提供数据存储和业务访问功能的一个系统，保证数据的安全性，并合理调配存储空间。

云存储管理模式是指通过云存储架构对各子系统的数据进行统一存储管理。物理上，这些数据的存储地点可以集中在一起，也可以分布在多地，但数据的完整性一致性高，由统一的管理平台管理，具有更高的数据 I/O 能力，便于后续的大数据共享应用。各子系统可通过云存储专用接口对相关数据进行访问。

4.2.9 安全防范系统或设备的供电可以来自市电网（这是大多数的情形），可以来自光伏装置，也可以是干电池等。

安全防范系统的供电模式可以分为本地供电模式、集中供电模式和混合模式。

在集中供电模式下，主电源或备用电源由监控中心统一接入，通过配电箱/柜和供电线缆将电能输送给安防系统前端负载，根据需要可在各局部区域进行再分配。

主电源和备用电源均可采用本地供电模式。主电源的本地供电模式可以是市电网本地供电模式，或独立供电模式，或其他类型。

市电网本地供电模式可直接将安防系统各前端负载就近接入配电箱/柜，由供电线缆将电能输送给该部分安防负载设备。

在独立供电模式下，通常由原电池等非市电网电源对安防负载一对一的供电。此类配置一般不再配置备用电源。

安全防范系统或设备的供电的保障措施是从可靠性的角度提出，它既可以用高可靠水平的可控的主电源单一供电，也可以在主电源的基础上配置自备的备用电源。前一种情形，主电源系统中往往可能具有自备发电机或 UPS，且可以由安全防范系统发出指令启动接入等。

4.2.10 接口协议通常包括各子系统前端设备与安全防范管理平台之间的接入协议；安全防范各级管理平台或分平台之间的信息传输、交换、控制协议；安全防范管理平台与其他业务系统之间的数据交换服务接口协议等。这些接口协议的统一是安全防范系统、设备互联互通以及信息共享应用的基础。

4.2.11 视频智能分析系统可实现对视频图像中的人员、车辆、物品和事件等对象的外形特征、行为特征、数量等进行分析和结构化描述、检测和识别判断，还可实现视频图像的摘要和浓缩、增强与复原、智能检索等处理与深化应用。

4.2.12 运行维护管理平台（运行维护管理系统）可实现对安全防范系统、设备、用户、网络、业务等进行综合维护管理的功能，以保障安全防范系统、设备以及网络的正常运行。

运行维护功能一般包括设备信息及生命周期管理、设备/软件/链路监测、视频图像质量检测、用户和日志管理以及对设备接入率/在线率/完好率、故障排除率、系统链路可用率、运行维护日志完整率等指标进行统计分析等。

4.2.13 安全防范系统的安全策略是整体策略，既包括传统意义上的传输网络和数据安全要求，又包括对接入设备的安全要求以及网络边界安全要求。要整体解决系统安全问题，需要采取多种管控措施，以实现安全防范系统的用户身份认证、设备接入认证、密钥管理、权限管理、加密解密、访问控制、审计、数据源可追溯、控制信令的完整性验证以及传输网络安全监测等功能。

边界安全交互系统是在安全防范系统专用传输网络的边界建立的网络间信息交互的安全隔离措施。安全防范系统专用传输网络与互联网之间进行信息交互时，应采用安全隔离、信令协议层安全控制加上端口防攻击监测等措施来确保安全。安全防范系统专用传输网络与其他政府/行业/企事业单位专网进行信息交互时，考虑到政府/行业/企事业单位专网已经与互联网进行了逻辑隔离，则应采用信令协议层安全控制等措施。

4.3 人力防范规划

4.3.1 人力防范规划应充分体现人防、物防、技防相结合，探测、延迟、反应相协调的原则。根据 $T_{探测}+T_{反应}\leqslant T_{延迟}$ 和物防的延迟能力，合理配备和部署人力资源。人力资源的配备和部署应保障系统正常运行操作的需要以及应急反应和现场处置、对抗的需要。

4.3.6 安全管理人员、系统操作人员和设备使用人员应定期和不定期接受各种必要的安全防范系统和设备操作的培训，不断提高相应人员能力和素质。对于日常运行和使用操作的活动，应能使有关人员达到完全熟练的程度。对于安全检查人员应具有良好的识别知识，能够快速在众多检查物品中及时准确地发现危险爆炸物或者其他可疑物品。

5 工程建设程序

5.1 一 般 规 定

5.1.1 安全防范工程建设程序如图 2 所示：

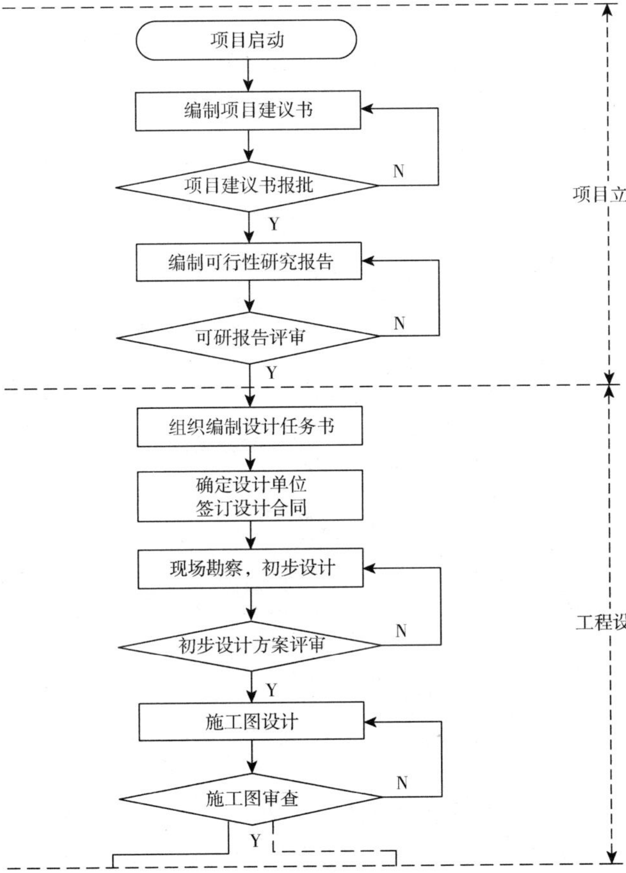

图 2 安全防范工程建设程序示意图

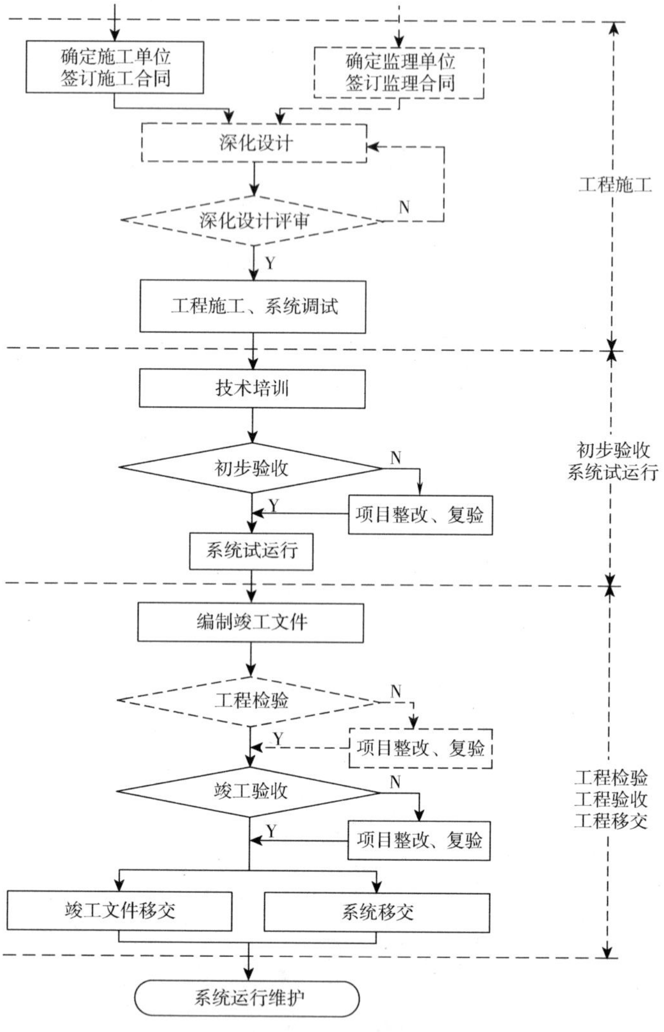

图 2　安全防范工程建设程序示意图(续)

本示意图是综合工程建设相关管理部门对项目立项及工程设计、施工、验收的有关规定,结合安全防范工程检验及系统运行维护等实际需求绘制的。

工程施工阶段，建设单位可根据需要，委托具有相应能力的监理单位对工程建设进行监督管理。

根据《建筑工程设计文件编制深度规定(2016年版)》"5专项设计"规定，智能化专项设计根据需要可分为方案设计、初步设计、施工图设计及深化设计四个阶段。由于安全防范工程的建设规模、系统复杂程度差异性较大，并不是所有的工程都需要进行深化设计。若施工图设计能够满足工程施工需要时，可不进行深化设计，施工单位按照施工图设计文件直接施工即可。

工程检验验收及移交阶段，建设单位可根据需要，委托具有安防工程检验资质且检验能力在资质能力授权范围内的检验机构对工程质量进行检验。

5.2 项目立项

5.2.1 项目建议书是建设单位或项目法人针对新建、改建、扩建安全防范工程向其主管部门申报的书面申请文件，为工程建设的立项提供依据。

项目建议书应结合建设单位的安全防范现状，着重分析原有安全防范措施的差距和不足，提出安全防范的实际需求，突出安全防范工程建设的必要性、紧迫性。

项目建议书应简练概括地表达建设项目的主要内容，包括项目概况、安全防范现状描述、项目建设的必要性、需求分析、项目建设的条件、建设依据、建设方案综述、系统概要设计、项目机构和人员、项目建设进度安排、投资额度及资金筹措、效益与风险分析、结论和附件等。

项目建议书文本的形式可以是文字描述，也可以是文字结合图形描述。

项目建议书编制深度参见现行行业标准《安全防范工程技术文件编制深度要求》GA/T 1185的相关内容。

5.2.2 在安全防范工程建设项目投资决策前，通过安全管理需求分析、市场分析、技术分析和财务分析等，对安全防范工程建设项目的技术可行性与经济合理性进行分析、论证和综合评价。建设项目可行性研究的输出为可行性研究报告。

可行性研究报告编制单位对报告的质量负责。

可行性研究报告应细化项目建设需求、建设方案和风险分析等内容。对于复杂和特殊工程，应对影响安全防范系统功能或性能的技术路线、主要设备选型等内容进行必要的多方案比较。

可行性研究报告应对项目建设规模、技术、工程、经济等方面进行分析，完成包括技术选型、系统建设、人员组织、项目周期、实施计划、投资与成本、效益及风险等的论证、计算和评价，选定最佳建设方案。

可行性研究报告编制深度参见现行行业标准《安全防范工程技术文件编制深度要求》GA/T 1185 的相关内容。对于代初步设计的可行性研究报告，其编制深度应满足初步设计的要求。

5.3 工程设计

5.3.1 设计任务书是确定安全防范工程建设项目和建设方案的基本文件，是设计工作的指令性文件。

设计任务书可以由建设单位编制，也可以由建设单位委托具备相应能力的设计/咨询单位编制。由设计/咨询单位编制的设计任务书，必须经建设单位确认、盖章。

设计任务书的主要内容包括任务来源、编制依据、政府部门的有关规定和管理要求（含防护对象的风险等级和防护级别）、工程建设地概况、建设单位安全管理现状与要求、工程建设指导思想、工程建设目的及内容、保护对象和防范对象、安全需求、安全防范工程需要防范的风险、安全防范系统功能和性能要求、安全防范工程建设特殊性要求、技术培训要求、质量保证及售后服务要求、工程建设投资控制额及资金来源、工程建成后达到的预期效果等。

设计任务书编制深度参见现行行业标准《安全防范工程技术文件编制深度要求》GA/T 1185 的相关内容。

5.3.2 建设单位根据相关的政策法规要求，委托或通过招投标择优选择设计单位并签订设计合同。

《中华人民共和国招标投标法》第三条，“在中华人民共和国境内进行下列工程建设项目包括项目的勘察、设计、施工、监理以及与工程建设有关的重要设备、材料等的采购，必须进行招标：

（一）大型基础设施、公用事业等关系社会公共利益、公众安全的项目；

（二）全部或者部分使用国有资金投资或者国家融资的项目；

（三）使用国际组织或者外国政府贷款、援助资金的项目。

前款所列项目的具体范围和规模标准，由国务院发展计划部门会同国务院有关部门制订，报国务院批准。法律或者国务院对必须进行招标的其他项目的范围有规定的，依照其规定。”

工程设计招标应符合《中华人民共和国招标投标法》《必须招标的工程项目规定》（国家发展和改革委员会第 16 号令）的相关规定。

根据国家保密法律法规和有关政策规定，在涉及国家秘密的保密要害部门部位开展的安全防范工程建设，工程勘察、设计不得进行公开招标。

5.3.3 现场勘察应按本标准第 6.2 节执行。现场勘察报告经参与勘察的各方授权人签字并加盖公章后作为正式文件存档。

5.3.4 初步设计说明包括项目概况、需求分析、设计依据、风险评估、系统总体设计、功能设计、信息传输设计、供电设计、系统安全性设计、系统可靠性设计、系统电磁兼容性设计、系统/设备环境适应性设计、监控中心设计等。

初步设计图纸包括总平面图、系统图、设备器材平面布置图(安全防范专项设计适用)、系统干线路由平面图、监控中心/设备机房布局图等。

主要设备和材料清单包括系统拟采用的主要设备名称、规格、主要技术参数、数量等。

工程概算书中的费用构成、计价方式等按照国家相关规定执行。

初步设计文件编制深度参见现行行业标准《安全防范工程技术文件编制深度要求》GA/T 1185 的相关内容。

5.3.5 初步设计评审一般由一定数量的安防技术、经济等方面的专家组成评审专家组,对初步设计的适用性、合理性、先进性、实施计划、概算和预期效果等方面进行评审。

初步设计评审的主要内容包括:系统设计内容是否符合设计任务书和合同等要求;现状和需求是否符合实际情况;系统总体设计、结构设计是否合理准确;系统功能性能设计是否满足需求;系统设计内容与相关法律法规、现行国家标准、行业标准和地方标准及工程建设单位或其主管部门的有关管理规定等的符合性审查;实施计划与工程现场的实际情况和建设单位的要求满足性审查;初步设计文件质量、深度的符合性审查。

5.3.6 施工图设计是在评审通过的初步设计文件基础上,通过与其他专业的配合及设计计算,采用文字和图纸的方式详细、量化、准确地表达建设项目的设计内容,是指导项目实施的重要依据。

若工程现场环境、保护对象、安全需求等变化较小,且初步设计前编制的现场勘察报告能够满足施工图设计需要,施工图设计时可不再进行现场勘察;若工程现场环境、保护对象、安全需求等变化较大,且初步设计前编制的现场勘察报告无法满足施工图设计需要，施工图设计时应进行现场勘察。

5.3.7 施工图设计说明包括工程概况、需求分析、设计依据、系统设计（系统的用途、结构、功能、性能、设计原则、系统点位表、系统及主要设备的性能指标等）、各系统的施工要求和注意事项（包括布线、设备安装等）、设备主要技术要求及控制精度要求、防雷接地及安全措施要求、节能及环保措施、与相关专业及市政相关部门的技术接口要求及专业分工界面说明、各分系统间联动控制和信号传输的设计要求、实体防护设计等。

施工图设计图纸包括总平面图、系统图、设备器材平面布置图、传输管线图、监控中心/设备机房/竖井布置图、设备安装图、设备接线图、设施结构设计图（设备基础、杆件、管道、窨井等）。

设备材料清单包括设备材料的名称、规格、型号、数量、产地等。

工程预算书中的费用构成、计价方式等按照国家相关规定执行。

施工图设计文件编制深度参见现行行业标准《安全防范工程技术文件编制深度要求》GA/T 1185 的相关内容。

5.3.8 施工图审查是施工图设计文件审查的简称，是指施工图审查机构按照有关法律、法规，对施工图涉及公共利益、公众安全和工程建设强制性标准的内容进行的审查。国务院建设行政主管部门负责全国的施工图审查管理工作。省、自治区、直辖市人民政府建设行政主管部门负责组织本行政区域内的施工图审查工作的具体实施和监督管理工作。

施工图审查是政府主管部门对建筑工程勘察设计质量监督管理的重要环节，是基本建设必不可少的程序，工程建设有关各方必须认真贯彻执行。《建设工程质量管理条例》第十一条规定：建设单位应当将施工图设计文件报县级以上人民政府建设行政主管部门或者其他有关部门审查。

2013 年 4 月 27 日中华人民共和国住房和城乡建设部发布

《房屋建筑和市政基础设施工程施工图设计文件审查管理办法》（住建部令第 13 号），第三条规定：国家实施施工图设计文件（含勘察文件，以下简称施工图）审查制度。施工图未经审查合格的，不得使用。

5.4 工程施工

5.4.1 建设单位根据相关的政策法规要求，委托或通过招投标择优选择施工单位并签订工程合同。

《中华人民共和国招标投标法》第三条，“在中华人民共和国境内进行下列工程建设项目包括项目的勘察、设计、施工、监理以及与工程建设有关的重要设备、材料等的采购，必须进行招标：

（一）大型基础设施、公用事业等关系社会公共利益、公众安全的项目；

（二）全部或者部分使用国有资金投资或者国家融资的项目；

（三）使用国际组织或者外国政府贷款、援助资金的项目。

前款所列项目的具体范围和规模标准，由国务院发展计划部门会同国务院有关部门制订，报国务院批准。法律或者国务院对必须进行招标的其他项目的范围有规定的，依照其规定。”

工程建设项目招标应符合《中华人民共和国招标投标法》《必须招标的工程项目规定》（国家发展和改革委员会第 16 号令）的相关规定。

根据国家保密法律法规和有关政策规定，在涉及国家秘密的保密要害部门部位开展的安全防范工程建设，工程施工和监理不得进行公开招标。

工程合同包括工程名称和内容、双方责任与义务、技术和质量要求、进度要求、合同金额及付款方式、检验验收标准和方式、人员培训、售后服务、违约责任、合同生效及争议处理、合同终止、不可抗力等内容。合同附件包括设计方案、中标通知书、招标文件、投标文件、双方认定的其他文件等。

需要在工程施工阶段提供监理服务的工程，建设单位应按照相关法律法规的要求，委托或通过招投标择优选择监理单位并签订监理合同。

5.4.2 根据《建筑工程设计文件编制深度规定(2016 年版)》"5 专项设计"规定，智能化专项设计根据需要可分为方案设计、初步设计、施工图设计及深化设计四个阶段。深化设计应满足设备材料采购、非标准设备制作、施工和调试的需要。

若工程现场环境、保护对象、安全需求等变化较小，深化设计时可不再进行现场勘察；若工程现场环境、保护对象、安全需求等变化较大，深化设计时应进行现场勘察。

5.4.3 深化设计单位由建设单位根据相关的政策法规要求，委托或通过招投标择优选择。深化设计单位需具备工程深化设计的能力，可以是施工图设计单位、施工单位或其他单位。

5.4.4 深化设计文件中涉及公共利益、公众安全和工程建设强制性标准的内容发生变化时，建设单位应根据政策法规要求将相关资料报建设行政主管部门重新审查。

5.4.5 设计交底是由项目管理机构组织施工单位、监理单位参加，由设计单位对施工图纸内容进行交底的一项技术活动，其目的是使施工单位和监理单位正确贯彻设计意图，加深对设计文件特点、难点、疑点的理解，掌握关键工程部位的质量要求，确保工程质量。设计交底通常分为图纸设计交底和施工设计交底。

图纸设计交底主要包括以下内容：施工现场的自然条件、工程地质及水文地质条件等；设计主导思想、建设要求、使用的标准规范；系统设计、设备选型及系统功能性能要求；管线施工、设备安装要求；工程中使用的设备材料的要求，对使用新材料、新技术、新工艺的要求；施工中应特别注意的事项；设计单位对监理单位和施工单位提出的施工图纸中的问题的答复等。

施工设计交底主要包括以下内容：施工范围、工程量、工作量和实验方法要求；施工图纸的解说；施工方案措施；施工工艺和质量、安全的保证措施；工艺质量标准和评定办法；技术检验和检查验收要求；技术记录内容和要求；其他施工注意事项等。

5.4.6 施工过程中发生的设计变更或工程洽商，应该经过项目管理机构、设计/监理单位及施工单位共同确认。

5.5 工程初步验收与试运行

5.5.1 技术培训是安全防范系统建设的重要环节，也是系统使用、管理和运行维护的重要基础。技术培训的目的是使值机人员熟悉系统的功能性能和操作使用方法，使系统管理人员掌握系统的运行管理和维护技能，从而充分发挥系统的安全防护效能。

技术培训大纲由项目管理机构会同项目专家组、施工单位等，根据项目特点和系统使用、管理需求共同制定。培训大纲、课程设置及培训方案经评审、批准后，由施工单位按照培训计划对系统值机人员和管理人员进行技术培训。

技术培训的内容一般包括计算机技术基础、硬件安装、软件安装、操作使用、系统管理和维修维护等培训。

5.5.2 有监理单位参与的工程，由监理单位组织项目管理机构、施工单位、设计单位等进行初步验收；没有监理单位参与的工程，由项目管理机构组织施工单位、设计单位等进行初步验收。

初步验收包括对工程施工资料检查评价、核对系统安装的设备型号和数量、对系统功能和性能检查评价、对系统施工质量进行检查评价等工作。

5.5.3 系统试运行的目的是验证系统与建设目标的符合性、发现系统存在的问题、优化完善系统的功能性能等。

值机人员或系统管理员应详细记录系统运行情况（参见表1）。系统试运行记录应完整、翔实，试运行期间发现的问题应及时处置。

表 1 系统试运行记录表

工程名称					
建设(使用)单位					
设计单位					
施工单位					
监理单位					
序号	日期/时间	试运行内容	试运行情况	备　注	值班人

注:(1)系统试运行情况栏中,正常打"√",并每天不少于填写一次;系统运行有异常情况时,在试运行情况栏中简要记录异常现象,并在备注栏中详细记录处置措施、实施人员、处置时间等。

(2)系统有入侵和紧急报警部分的,报警试验每天进行一次。出现误报警、漏报警的,在试运行情况和备注栏内如实填写。

试运行期间,值机人员、系统管理员等以建设(使用)单位的相关人员为主,由施工单位技术人员提供全天候的配合保障。

5.5.4 试运行报告的内容主要包括:系统建设概述、试运行起始和结束日期、试运行是否正常、功能性能是否符合设计文件和合同要求、故障产生的次数和原因、排除故障的方法和时间、维修服务是否符合合同约定、试运行综合评述等。

5.6 工程检验、验收及移交

5.6.1 少数非主要项目未按工程合同和设计文件要求全部建成,由建设单位与设计、施工单位协商,对遗留问题有明确的处理方案,经试运行基本达到设计和使用要求并经建设单位确认后,也可视为竣工。

竣工报告的内容主要包括:工程概况,安装的主要软硬件及其相应功能,是否延期、延期原因及延期处理结果,变更情况、变更处理结果，试运行情况，遗留问题及处理意见，自我评估等。

5.6.2 竣工文件是建设项目完成后形成的、真实反映项目建设全过程和项目真实面貌的文件集，是项目建成后系统运行使用、维护保养、改建与扩建等工作的基础资料。

竣工文件包括建设项目立项审批文件、工程合同、设计文件、施工文件、验收证明文件、使用/维护手册、技术培训文件和竣工图纸等。竣工图纸包括图纸目录、设计说明、图例、总平面图、系统图、设备器材平面布置图、系统布线图、监控中心/设备机房布置图、主控设备布置图、设备接线图、施工大样图等。

5.6.3 全国多个地区针对安全防范工程建设制定了相应的条例和管理办法，确定了安全防范工程检验的必要性。同时，在现行的多个行业标准中也提出了安全防范工程检验的要求，如 GA 858、GA 837、GA 1016、GA 793.1 等。

5.6.5 竣工文件编制深度参见现行行业标准《安全防范工程技术文件编制深度要求》GA/T 1185 的相关内容。

6 工程设计

6.1 一般规定

6.1.2 防范恐怖袭击的重点目标的安全防范工程设计除对重点保护对象进行防护外，还应重点针对人员密集的公共区域进行防护设计。

6.1.3 本条是强制性条文，必须严格执行。安全防范工程的建设是为了保护人身安全和财产安全，维护社会安全稳定，其中保护人的生命安全是第一重要的。当紧急情况发生时，如果人员疏散和逃生的需要与保护财产安全的安全防范效能发生矛盾时，系统设计应满足人员疏散通道疏散和逃生的需要。

6.1.5 本条是强制性条文，必须严格执行。本标准定义的安全防范主要包括社会治安防范和反恐防范。特别是针对恐怖袭击的安全防范工程设计时，除了要考虑安全防范系统传统的探测、延迟、反应能力外，还要结合人力防范能力，配备必要的个人防护装备、有效的防御设施以及与恐怖分子对抗的装备等。因此，反恐防范的安全防范工程设计应体现威慑、探测、防御、致胜四个要素。

6.2 现场勘察

6.2.1 本节的“现场勘察”有别于工程建设界泛指的“地质水文勘察”，仅指进行安全防范工程设计前，对保护对象所进行的、与安全防范工程设计有关的各方面情况的了解和调查。现场勘察是安全防范工程设计的基础。因此，在进行安全防范工程设计前，进行全面的现场勘察、详细记录勘察情况是必要的。

6.2.2 现场勘察的内容一般包括：地理环境、人文环境、物防设施、人防条件、气候（温度、湿度、降雨量、霜雾等）、雷电环境、电磁环境等。

6.3 实体防护设计

6.3.2 实体防护是实现安全防范系统延迟和阻挡能力的主要手段。实体防护设计应按照探测、延迟、反应相协调的原则，综合考虑人力防范的反应能力，采用适宜的实体防护措施，保障延迟时间满足公式 $T_{探测}+T_{反应}\leqslant T_{延迟}$ 的要求。

6.3.3 实体防护系统应安全、稳定和可靠，如应考虑避免实体屏障运行中对非入侵行为人的伤害。

实体防护的耐久性应根据安全防范管理、使用环境等要求进行设计，如根据室内和室外、使用环境、使用年限等的要求，选择不同的材质材料、表面处理工艺等。可参考现行国家标准《隔离栅》GB/T 26941.1 及相关标准。

实体防护中使用的屏障应进行模块化、标准化的设计同时通过工厂机械化的生产，便捷的现场组合安装。建筑结构应符合国家相关标准的要求。

具有自动或远程控制开启和关闭功能的实体屏障，如电动门、液压防撞柱、液压防撞翻板等，应能够与其他子系统的进行联动设计。

6.3.5 周界实体防护设计是指针对保护对象外围周界所进行的实体防护设计，是安全防范纵深设计的第一道防线。设计时应在建筑选址、建筑总平面规划设计时利用天然屏障对保护对象的防护。

实体屏障一般分为天然屏障和人工屏障两大类。天然屏障是指能够阻止进入、妨碍穿越、遮挡视线等的自然屏障，如山谷、丘陵、河流、丛林、沙漠等自然地貌和地形以及植被。人工屏障是指建筑景观、建（构）筑物等人工设计建设的、可以阻止进入、防撞、防爬、防破坏等的屏障，如护城河、绿化带、围栏、栅栏、建（构）筑物本身以及相应的墙体、大门等。

车辆实体屏障是指用于限制或阻挡车辆擅自进入以及防止车辆撞击的各类人工建造或加工制造的实体屏障，例如：防撞墙、防撞柱、防撞礅、液压防冲撞翻板、液压防防冲撞柱等。

6.3.6 本条条文说明如下：

1 本款是强制性条文，必须严格执行。周界实体屏障应根据被保护对象所在的位置或其所在建（构）筑物及其场地条件设置。条件允许时，周界实体屏障宜独立设置，不采用建筑物作为周界实体屏障。

周界实体屏障应远离可供人借助攀爬的物体和设施，如立杆、树木、建（构）筑物、路灯杆、电线杆等。

屏障设置的位置以及与保护对象的距离，应综合考虑入侵行为和实施处置的路径与时间的关联关系的合理安全距离。

2 本款是强制性条文，必须严格执行。有防爆安全要求时，应根据防范爆炸物的种类、当量、爆炸破坏力等进行计算，设计实体屏障与保护对象间适宜的安全距离。

3 一般情况下，在被保护对象所在保护区域最外围设置单层屏障。

重要保护对象或保护对象区域较大、多个保护对象且防范级别不同时，应按照不同的区域、不同防范级别、进行纵深多层周界实体屏障设计。

清除区是指存在于相邻实体屏障之间的无障碍区域，没有便于入侵对象借助进入的构筑物或其他设施，没有视线遮挡，一般用于巡逻和观察、延迟、阻挡入侵行为。

周界实体屏障组合应用指在紧贴围栏、栅栏、围墙的内、外侧增设其他形式实体屏障增强防穿越能力，在其顶部增设防攀爬的实体屏障，在其地下基础增设防挖掘的实体屏障，最终实现周界实体屏障的多种防护能力。

应根据周界地形环境（如山坡、河道、涵洞、桥梁、管廊等）差异合理选择不同的实体屏障类型，并满足周界均衡防护的要求。

保护对象所在的地理环境和场地条件十分复杂时，应根据场地和环境选择最合适的实体屏障形式，达成均衡防护的目的。例如：在有天然河道的旁边，实体屏障的防护性能可以适当减弱。在有坡度的地形，实体屏障的高度应保证有效防护高度的一致性。

4 本款是强制性条文，必须严格执行。周界实体屏障是保护对象最外层防护手段，其设计功能主要包含防攀越（徒手、借助工具）、防穿越（敲击、剪切、撬、撞击、钻孔、挖掘、爆破等破坏实体屏障后）、防窥视（信息、情报等泄露）等。

实体屏障应选用无着力点、支撑点、抓握点的结构形式，以有效提高防攀越能力。

实体屏障的防护有效高度一般不低于 1.8m，其防攀越的能力与屏障的高度成正比关系。封闭式周界屏障是砌筑墙时，其高度必须不低于 2.2m，顶部应设有防护装置，例如刺铁丝、刺刀圈等。仅使用刺铁丝时至少三股及以上，顶部防护装置应向外呈 45 度角，增加屏障垂直高度不小于 1m。

周界实体屏障采用通透式钢筋焊接网屏障的，其网格尺寸面积宜不大于 1250mm^2 且不能容纳成人 3 根手指伸入的抓握点以及脚伸入攀爬的着力点。有防挖掘要求的基础通常采用条形基础并深埋入地下 0.9m 以上，采用独立基础时，两基础间埋设防挖掘钢网。

防车辆撞击要求的实体屏障基础出地面高度不应小于 0.8m，墙体宜为钢筋混凝土结构，结构厚度不低于 500mm，墙体基础埋入地下不低于 2000mm。

当有防投射物、防破坏要求时，实体屏障应具备相应的阻挡、缓冲、改变投射物轨迹等防护能力。如通透式的实体屏障间隙应不大于 12.5mm（横向）×75mm（纵向），同时，实体屏障的材质材料和结构的强度还应满足防投射物杀伤力或破坏力的要求。

通透式实体屏障选用的材料材质、设计结构、空隙尺寸、链接方式是防穿越、防攀爬性能的关键。通透式(可视)屏障可通过增加其他实体设施进行防窥视性能设计。清除区内层应采用通透性能较强的屏障。

通透式实体屏障应有防止人员穿越功能,竖向向实体结构间隙应小于110mm并应能保证实体屏障的整体结构强度。其他有特殊要求,比如防止小动物穿越的实体屏障,通透式实体屏障孔径不应大于防范对象的头围直径。

有防窥视要求时,通常不选用通透式实体屏障,或采取通透式实体屏障和其他实体屏障联合设置以遮挡视线。

为了确保清除区范围视线清晰,通常采用通透性较强的屏障。

5 本款是强制性条文,必须严格执行。穿越周界的河道、涵洞、管廊等孔洞是容易被忽略的安全防范的薄弱点,由于视频监控和人力防范受环境和条件的限制很难发挥出最佳的防范效能,因此为保障保护对象的安全,在不影响建(构)筑物功能的前提下,设置实体屏障和(或)实体装置对孔洞进行防护是很有必要的。例如:采用防护栅栏、防护钢丝网等封闭涵洞和管廊、在河道的水下设置防护栅栏阻止人员潜水进入、在水下建造桩或柱等阻止船通行等。

6.3.7 本条对出入口实体防护设计做了规定。

1 出入口设计需要考虑与保护对象的安全距离,综合考虑通道视野、坡度与方向、车辆进出转向等因素。尽量设置为车辆右转向进入,避免车辆长驱直入。出入口宽度尽量窄,宽度过大不利于安防人员的反应处置。

安全岗亭可能设置在周界的出入口、转角以及建筑物或场地中的位置。安全岗亭数量设置充分合理,其平面位置和高度应确保没有视线遮挡和盲区。

无人值守的出入口实体屏障的防护能力与周界实体屏障相当,避免出现安全防范的薄弱环节。24h有人值守的出入口实体屏障，人防的威慑、阻挡、响应可以增强防护能力，实体屏障防护能力可合理适当降低，以达到均衡防护的效果。

2 检查管理区可包括通行检查、等候和避让、拒绝通行回转通道等功能区。

当有防车辆撞击、爆炸袭击的要求时，实体屏障应选择高强度、高硬度的材质材料，屏障结构坚固、安装牢固与稳定；应根据场地地形设计采用仰角坡道、转向弯道进入、短通道、窄通道、“S”弯道等方式。必要时可设置车辆实体屏障迫使车辆进行“S”形行进，减速带或其他减速装置进行限制车辆速度。

封闭式廊道可分为全封闭式和半封闭式(两侧封闭)。联动互锁门通常与视频监控和出入口控制系统联合设置。

3 具有防人员穿越和攀越的出入口实体屏障要设计有效防护高度、结构与孔洞尺寸以及通行方式。

防止穿越、攀越的出入口实体屏障不能采用单杆式道闸和高度低于 1.6m 的伸缩门，其他形式的实体屏障的竖向结构的间隙不得大于 0.12m，地面 0.4m 以上无蹬踏支撑部位。

防尾随设计要考虑实体屏障的通行空间与通过时间，可选用适当类型的旋转门、三辊闸门或联动互锁门，通常与电子防护系统联合设置。

6.3.8 本条对车辆实体屏障设计做了规定。

1 被动式车辆实体屏障包括混凝土结构的墙体、柱体、水泥墩等。被动式车辆实体屏障结构坚固，可抵御移动车辆炸弹。

主动式车辆实体屏障包括防撞平移大门、平开门、防撞升降柱、翻转平板路障机等。主动式车辆实体屏障可手、电动控制移动、升降、翻转，自由布防。

2 本款是强制性条文，必须严格执行。目前，美国和英国的防撞测试以及级别划分，建立了比较完善的测试标准。美国执行 ASATM F2656 标准，英国执行 PAS68 标准。

防冲撞能力的设计，如：遭遇设计载重车辆以设计速度撞击后，车辆被阻挡停止且穿越屏障行进距离不超过 1m 以及撞击碎物飞溅距离小于 5m，车辆实体屏障本身可能发生损坏不能正常运行。

3 本款是强制性条文，必须严格执行。车辆实体屏障与保护对象的安全距离和防护效果具有正相关性，距离越远，防护效果越佳。

6.3.9 本条对安防照明与警示标志做了规定。

1 安防照明可起到威慑作用，可有效预防违法犯罪行为。据实际应用数据对比统计分析，以及犯罪心理学的研究表明，罪犯通常选择黑暗条件和场景中进行犯罪。随着环境光照度的上升，犯罪率明显下降。

设置安防照明也可增加安保人员的可视范围，同时提高电子防护系统的效力。

2 警示标志通常用于警告限制进入、引导控制授权进入、阻止未经授权进入、排除意外进入保护区域。提示擅自侵入可能触发警报或者导致意外伤害。

6.3.10 建(构)筑物的实体防护功能设计指从安全防范的需求角度，综合考虑建(构)筑物的功能、平面布置、建筑立面、建筑构造、结构强度等方面的设计，使建(构)筑物中的场地道路、景观、停车场、建筑内通道、房间、附属设施(管廊、管沟等)、门窗等充分发挥实体防护功能。

建筑物门窗包括建筑物通道门、室内门、建筑外窗、建筑内窗、天窗等。

对已建的建(构)筑物应根据实际情况进行合理的功能区域划分和实体防护方案设计。建(构)筑物本身为文物时，实体防护设计不应破坏建(构)筑物其本身，应采用施工简易、安装快速、新材料等结构形式的实体防护设计，宜与电子防护(入侵探测、视频监控)联合设置。

6.3.11 建筑总平面和空间布局规划设计时，应充分考虑安全防范的要求，进行建筑功能的设计和合理利用，可以节省安防工程的投入和安防设计实施时无法弥补的缺陷。

1 本款是强制性条文，必须严格执行。建（构）筑物设计应避免出入口、场地道路直通保护对象或其所在建筑物的大堂（门厅）。车辆宜环形行驶靠近建（构）筑物，宜设计前广场、景观池（花坛）、台阶为缓冲区，可摆放大型盆栽或石刻饰物以及其他车辆实体屏障进行实体防护。

建（构）筑物场地道路与保护对象或其所在建筑物外侧墙体应保持安全距离。可设置建筑景观灌木、绿篱或向建筑物外侧放坡用于安全防护。

3 本款为强制性条文，必须严格执行。为避免或减小易燃、易爆、有毒、放射性等物质对人造成的危害，此类保护目标的平面与空间布局应隐蔽并尽可能地远离人群；当布置在厂区或库区时，最好选择单独偏僻区域；应尽量利用地形等自然屏障，并避开易发生山洪、滑坡和其他地质灾害的区域；不应让无关人员和物流通过库房区。同时，尚应遵循国家现行相关国家标准及管理规定。

6.3.12 本条对建（构）筑物结构设计做了规定。

3 本款为强制性条文，必须严格执行。防爆墙体设计可参照现行国家标准《人民防空地下室规范》GB 50038—2005 的规定。防爆墙体采用非燃烧材料，且不宜作为承重墙，其耐火极限不应低于 4H。防爆墙可采用配筋砖墙。当相邻房间生产人员较多或设备较贵重时，宜采用现浇钢筋混凝土墙。配筋砖墙厚度应由结构计算确定，但不应小于 240mm，砖强度不应低于 MU7.5，砂浆强度不应低于 M5。

建筑外墙为玻璃幕墙时，玻璃外墙和门窗的材质、厚度应符合现行国家标准《玻璃幕墙和门窗抗爆炸冲击波性能分级及检测方法》GB/T 29908—2013 中的相关要求。

4 本款为强制性条文，必须严格执行。能够容纳防范对象隐蔽进入的建(构)筑物的洞口、管沟、管廊、吊顶、风管、桥架、管道等是安全防范的薄弱环节,易被防范对象选择作为入侵点。为保障保护对象的安全,在不影响建筑功能前提下,采用适当的实体屏障或实体构件进行封闭和阻挡是十分必要的,例如:防护栅栏、防护钢丝网、可闭锁盖板等。

6.3.13 本条对建筑门窗的设计与选型做了规定。

2 本款为强制性条文,必须严格执行。选择防盗安全门和防盗窗等实体防护产品时,应根据保护目标的风险等级和安全防范管理要求,按照国家现行标准选用相应安全等级的产品。在现行国家标准《防盗安全门通用技术条件》GB 17565—2007 中规定了甲、乙、丙、丁四个安全级别;防盗窗目前没有国家标准和行业标准,但选用时也应考虑其防护能力与风险等级相适应,窗户加工采用的玻璃、金属框架材料应具备相应的防砸、防破坏能力。同时,防盗门和防盗窗的安装与固定的构造和附件也要考虑防砸、防撬、防凿、防切割等防护能力。

3 本款为强制性条文,必须严格执行。目前,现行公共安全行业标准《防爆炸复合玻璃》GA 667—2006、《防弹透明材料》GA 165—2016、《防砸透明材料》GA 844—2018 中分别对玻璃等防护材料的防爆炸、防弹、防砸性能进行了规定并划分了等级。

4 本款为强制性条文,必须严格执行。在现行公共安全行业标准《金库门通用技术条件》GA/T 143—1996 以及正在制定的金库门国家标准中,对金库门的防破坏、防火、防水等功能性能进行了规定并划分了等级。

6.4 电子防护设计

6.4.1 本条条文说明如下:

1 安全防范管理平台是系统集成的关键要素,其本身应遵循开放式协议对视频、音频、报警等各种信息资源进行集成及处理,实现不同设备或/和系统间的信息交换,从而在平台内实现多系统的联动措施、应急预案和运行管理。

2 本款条文说明如下：

（1）信息存储管理包括存储设置和备份策略。

存储设置：支持对信息的存储位置、存储时间、备份策略、整理策略的设置。

备份策略：对系统的配置信息、用户信息、日志、报警记录等数据进行定期或不定期、单级或多级、本地或异地等备份。

（2）检索是指从文字资料、事件信息等信息集合中查找到自己需要的信息或资料的过程。为了进行检索，通常需要对资料进行索引。安全防范管理平台事件记录资料需要提取单位、时间、地点、类型或性质等作为索引，使其能成为检索点。

常见的报警信息检索的检索条件包括报警源、报警级别、报警类别、开始时间、结束时间等。

常见的视频检索的检索条件包括时间、地点、设备、报警信息等。用户可根据需要组合检索条件。

（3）根据检索的结果可以按需要进行回放。具有存储功能的前端设备，其所存储的视音频数据应能够在线或离线回放。

3 用户权限分为两大类：业务权限和管理权限。

权限管理一般包括：提供增加、修改、删除和查询用户权限等功能。系统可单独设立系统管理员，专门负责为每个合法用户分配相应的权限。任何用户不得擅自更改权限、不得将其权限转授给其他用户。系统管理员除完成授权功能外，不得浏览、修改、删除系统中的任何其他数据，高优先级用户可抢占低优先级用户所占的资源。

通过用户与权限管理，可以保证授权用户对资源的利用，保障多用户并发访问时系统资源的可用性。

4 目前条件下，安全防范管理平台能够实现对基于 IP 传输网络的设备进行统一编址、寻址、注册和认证。

通过运行维护模块或运行维护管理系统（平台）实现对实时在

线设备的工作状态和网络链路性能等进行自动监测和故障报警，通过定时巡检对非在线设备运行监测。

对设备的注册和认证是保障系统安全的措施之一。如果对系统、设备、数据和网络的安全进行全面管控，通常通过安全管控模块或安全管控系统（平台）实现。

在系统集成设计过程中，可能会遇到不同时期、不同品牌、不同厂家之间的设备和子系统集成，难以做到统一编址，所以本条是推荐性条款。

5 安全防范管理平台能实现各子系统之间的联动，实现集中的报警受理、报警联动、视音频调用、图像显示等。当子系统之间联动时，可在安全防范管理平台上产生联动信息，如当产生入侵报警时，弹出报警点位置，并弹出视频图像等。

6 系统日志包括运行日志和操作日志。运行日志能记录系统内设备启动、自检、异常、故障、恢复、关闭等状态信息及发生时间；操作日志能记录操作人员进入、退出系统的时间和主要操作情况。

日志管理可以如实记录系统每天的运行情况，不仅可以对系统运行状态、故障分析等提供依据，而且可以为各种案件的侦破提供必要的线索。

7 对系统数据进行分类统计、分析，可定量与定性结合，生成相应报表。报表的形式应结合各行业安全管理需求，可多种多样，宜采用图文并茂，趋势图等，易于比较分析。

8 安全防范管理平台具有校时功能，对服务器和具有计时功能的设备按程序进行自动校时，当系统内设备重新启动、应用软件恢复工作或网络中断后重新启动联通时，应能自动进行系统校时。

计时偏差包括两个方面：系统内的时间误差和系统与北京时间误差。计时偏差应满足相关管理要求，一般情况下，系统内的时间误差应小于或等于10s，系统与北京时间误差小于或等于30s。

9 安全防范管理平台需要针对报警信息进行分类，有利于快速判断是否有警情；根据紧急程度和重要程度对报警信息进行分级，有利于及时处置。

报警处置预案设计应流程化、具体化，针对不同的报警或其他应急事件编制不同的处置预案。发生入侵报警时，应自动同时显示入侵部位、图像和(或)声音，并显示可能的对策或处置措施。

报警处置预案设计应充分考虑探测时间、延迟时间、反应时间三者之间的关系，即延迟的时间应小于或等于探测时间与反应时间之和。

报警处置预案应规定相关人员的责任，明确职责，严格纪律。

对预案的处置过程进行记录有助于事件倒查，同时可积累经验，丰富知识库，不断对预案进行优化。

10 系统软件界面要具有易操作性，应简便、灵活、易学易用，便于管理和维护。在国内使用环境下，采用中文界面可以尽量避免人为因素造成的操作错误。

11 为满足系统互联互通和信息交换共享的需要，应能支持安全防范系统各级管理平台或分平台之间以及与非安防系统之间的联网。信息传输、交换、控制协议应符合国家现行相关标准的规定，如现行国家标准《公共安全视频监控联网系统信息传输、交换、控制技术要求》GB/T 28181—2016 等。

12 指挥调度主要是指在突发事件应急处置活动中，有效的利用安全防范管理平台各类信息，结合调度人力防范资源进行的特殊的组织领导活动。在突发事件的事前预防、事发应对、事中处置和善后管理过程中，通过安全防范管理平台对信息资源的综合利用可形成统一指挥、反应灵敏、信息完备、功能齐全、协调有序、运转高效的应急管理机制，运用正确的指挥而充分发挥有限的应急力量控制事态发展，在突发情况下减少损失、保护生命财产安全。

13 近年来，人工智能分析技术发展迅速，在视频监控领域正在发挥着越来越重要的作用，特别是大量视频数据还停留在事后取证的传统应用阶段，采用视频智能分析技术可以逐步实现视频监控系统的事前预警能力。针对重点监控目标特定区域和环境的视频图像智能分析是一种具有前瞻性的技防措施，本标准推荐采用。

此外，安全防范系统数据具有大数据的四个特点：第一，数据体量巨大，多级联网系统的数据有可能从 TB(10^{12} bytes)级别跃升到 PB(10^{15} bytes)级别；第二，数据类型繁多，包括视频、音频、图片、报警、地理位置信息等；第三，价值密度低，据统计，在报警集成联网过程中，真实报警(有用信息)占总报警量的比例不足万分之一，在视频连续不间断监控过程中，可能有用的数据也仅仅只有一两秒；第四，处理速度快，安全防范管理平台对报警的实时处理有着苛刻的要求，必须具备快速的响应和处理能力。故而，在建设多级联网的大数据系统应用时，建议安全防范管理平台采用大数据计算技术对视频、音频、图片、报警、地理位置信息等数据进行分析，提供警情分类统计功能，分析警情特点和趋势，并利用图标进行直观的表示。

14 安全防范管理平台宜通过运行维护模块对系统硬件、软件、数据等实施日常监测、维护。当监测到系统和设备故障时，系统能快速做出响应和初步判断，并根据故障的严重程度按预定的程序进行维修、保养，故障排除时间应符合运行要求。

各类设备运行均有生命周期，通过对设备健康数据的提取和监测，可主动维护，有效保障系统运行。

6.4.3 本条条文说明如下：

1 入侵和紧急报警系统按其性能分为四个安全等级，1 级为最低等级，4 级为最高等级。现行国家标准《入侵和紧急报警系统技术要求》GB/T 32581—2016 中对安全等级进行了划分：

(1)等级 1：低安全等级。入侵者或抢劫者基本不具备入侵和紧急报警系统知识，且仅使用常见、有限的工具。

(2)等级 2：中低安全等级。入侵者或抢劫者仅具备少量入侵和紧急报警系统知识，懂得使用常规工具和便携式工具（如万用表）。

(3)等级 3：中高安全等级。入侵者或抢劫者熟悉入侵和紧急报警系统，可以使用复杂工具和便携式电子设备。

(4)等级 4：高安全等级。入侵者或抢劫者具备实施入侵或抢劫的详细计划和所需的能力或资源，具有所有可获得的设备，且懂得替换入侵和紧急报警系统部件的方法。

2 本款为强制性条文，必须严格执行。入侵报警系统的探测手段多种多样，其技术原理也各不相同，可应用于不同的场合，比如：防越线（界）、撞击、撬、挖、凿、攀爬等，在这里，需要强调的是，探测的手段不限于某种探测装置，可以是红外、微波、振动、激光、超声波、音频、视频、磁开关、压力开关等探测装置其中一种或组合。在实际应用设计中，要根据现场情况和安全等级的要求不同，各类技术原理不同的探测装置可联合应用，即采用多传感器探测技术，互为补充，构成点、线、面、空间或其组合的综合防护，以达到相对合理的防范效果。紧急报警装置要采用 24h 设防。

3 本款为强制性条文，必须严格执行。防拆功能的作用，不仅仅是系统功能的一部分，更重要的是从系统的安全性要求，对于用于安全防范的系统，如果系统设备本身安全都保证不了，建设这样的系统还有意义吗？对探测装置、接线盒（包括传输设备箱、分线箱）、报警控制设备或控制箱、告警装置等提出防拆报警功能要求，就是要求一旦设备被拆卸、植入其他物品等时，系统将发出防拆信息。在很多的工程建设中，经常出现设备的防拆装置没有安装和连接，或连接方式不恰当，在撤防状态下，系统对探测器的拆改就不会响应，导致系统无法知道探测装置的状况。因此，为保证系统使用的有效性，对于探测装置、传输设备箱（包括分线箱）、报警控制设备或控制箱、告警装置等的防拆装置要设为独立防区，且为 24h 设防。

4 本款为强制性条文,必须严格执行。在这里,防破坏主要强调的是系统传输链路的保护,因为入侵和紧急报警系统的有线传输线路并不一定都处在探测器的探测范围之内,为了保证系统的正常传输,除了要求在物理上采取防护措施外(如采用保护管、暗埋等),还需在技术上解决线路被破坏时系统要能发现的问题,即当报警信号传输线被断路、短路时,报警控制指示设备能识别那条线路被破坏,同时还要能识别不能发出报警信息设备的故障。现阶段,大部分报警控制指示设备还不能识别探测设备内不影响报警输出的某部件老化、故障,如传感器性能降低等。

5 本款为强制性条文,必须严格执行。瞬时防区、24h 防区、延时防区、设防、撤防、旁路、传输、告警、胁迫报警等是入侵和紧急报警系统最基本的功能。为了适应用户不同的应用需求,使系统既能保证安全等级不降低,又能方便使用,需对系统进行认真的设置,对不同区域、部位的探测装置/报警紧急装置/防拆装置等根据要求进行分别设置,即可设置为瞬时防区、24h 防区、延时防区等;在不同的时间段,各防区又可设置为设防、撤防、旁路状态;在进行系统设计时,要注意不同安全等级,其传输、告警方式的要求也有所不同;为尽最大可能保护人身安全,系统要有胁迫报警功能,即当权限类别为 1、2 或 3 的用户使用胁迫钥匙撤防时,控制指示设备要能正常撤防,同时发送远程胁迫报警信号和(或)信息,且不给出本地报警声响。为了便于管理和责任认定,需要对系统用户的权限进行分类设置,用户权限分为 4 类。

报警控制指示设备的防区可设置为瞬时防区、24h 防区、延时防区。瞬时防区是指防区处于设防状态时,一旦触发该防区将立即产生报警,不提供延时,这是系统最常用的防区类型,通常用于除出入口外的其他防区。24h 防区是指防区不论处于设防状态还是撤防状态,一旦触发该防区将立即产生报警,不提供延时,大多用于紧急报警类、火灾报警和设备防拆防区应用,也可用于需要密切注意的安全等级较高的出入口防区。延时防区是指防区处于设防状态时，一旦触发该防区将产生延时报警，即从触发探测器到引发报警之前有延时时间，延时的时间可以设定（一般为1s～300s可调），此时间足以让用户正常退出或进入而不发生报警状态，通常是用于出入口防区而设置的。旁路是指报警系统的部分报警状态不能被通告的状态，此状态会一直保持到手动复位，即操作人员执行了旁路指令后，所指定的防区就会被旁路掉（失效），而不能进入工作状态，在一个报警系统中，可以将其中一个防区单独旁路，也可以将多个同时旁路掉（又称群旁路）。

6 本款为强制性条文，必须严格执行。在现行国家标准《入侵和紧急报警系统技术要求》GB/T 32581—2016中，入侵和紧急报警系统的用户访问系统部件和控制功能有下列四种权限类别：

a）类别1：操作访问无任何权限限制。

注：该类别指任何人均可访问，但只能进行简单的设防操作，一般通过按钮（开关）对部分或局部入侵和紧急报警系统进行设防。

b）类别2：在不改变入侵和紧急报警系统配置情况下，操作访问能影响系统运行状态的功能。操作访问应受密钥、编码开关、锁或者其他等同方法限制，其密钥或编码不能访问权限类别3或4。

注：该类别通常适用于具有通行相应防护区域的使用、操作人和系统管理员。

c）类别3：在不更改系统设备设计的情况下，操作访问能影响入侵和紧急报警系统配置的所有功能。操作访问应受密钥、编码开关、锁或者其他等同方法限制，其密钥或编码不能访问权限类别4。如需访问权限类别2，需获得权限类别2用户的许可，并在本地访问。

注：该类别通常适用于专业安装、维修人员。

d）类别4：操作访问部件会改变设备的设计。操作访问应受密钥、编码开关、锁或者其他等效方法限制，其密钥或编码不能访问权限类别2和3。除非权限类别2和权限类别3的用户授权，否则不允许使用权限类别4。

注：1 该类别通常适用于设备制造商或代理商。

2 权限类别4只适用于在不触发控制指示设备或辅助控制设备上的防拆装

置时更改操作程序软件。

7 本款为强制性条文，必须严格执行。指示是由入侵和紧急报警系统产生的可听、可视或者其他可感知形式的信息。是用户了解入侵和紧急报警系统状态的必备媒介之一，通过指示，用户可以了解系统是否设防、撤防、旁路等工作状态，了解系统各防区工作、传输是否正常。

8 本款是强制性条文，必须严格执行。通告是指将报警、防拆或故障状态传递给告警装置和(或)报警传输系统的过程。是用户了解入侵和紧急报警系统出现报警、防拆或故障等状况的另一个媒介，通过声、光报警通告，能够起到警告、威慑入侵或抢劫者，提醒用户，向外求援，向相关人员和或机构报告等作用，在实际应用时，要根据各个单位的特点，设置不同形式的告警方式，可以采用现场声告警，也可以采用光告警，也可以采用声光同时告警。非法操作是指不具有权限类别的用户试图在其非权限范围、时间内访问和控制系统部件，此时，系统要能发出报警通告。

9 按照传输的方式不同来分，入侵和紧急报警系统可分为分线制、总线制、无线制和网络制四种模式，这四种模式可以单独使用，也可以组合使用，可单级使用，也可多级使用。

按系统的组成方式不同，入侵和紧急报警系统可分为单一控制指示设备模式(简称单控制器模式)、多控制指示设备本地联网模式(简称本地联网模式)、远程联网模式和集成模式。其中单控制器模式的传输(探测器与控制器之间)大多为分线制、总线制和无线制；本地联网模式的传输(控制器与控制器之间)大多采用总线制、无线制和网络制；远程联网模式的传输(控制器—报警接收中心或监控中心—报警接收中心之间)大多采用网络制。报警系统的远程传输网络目前大多采用 PSTN、IP 网络(公网、专网)、GPRS(4G、5G)等方式。

11 报警响应时间是指从探测器探测到目标或人为触发紧急报警装置后产生报警状态信息，到控制指示设备或远程报警接收中心接收该信息并发出报警信号所需的时间。

随着信息技术的发展，入侵和紧急报警系统的远程传输逐步与公共或其他信息网络融合，由于公共或其他信息网络主要是为其他应用服务，并不是专为入侵和紧急报警系统应用的，且其网络内数据流量变化较大，由于入侵和紧急报警系统需要的报警响应时间要短，因此，为了保证监控中心能够及时知道各防范区域的情况，要求公共或其他信息传输网络要为入侵和紧急报警系统信号的传输有一个相对独立的信道，以保证报警响应的时间。

现行国家标准《入侵和紧急报警系统技术要求》GB/T 32581—2016 中规定入侵、紧急、防拆以及故障信号和(或)信息的报警响应时间满足以下要求：

a)单控制器模式：不大于 2s。

b)本地联网模式：

①安全等级 1：不大于 10s；

②安全等级 2、3：不大于 5s；

③安全等级 4：不大于 2s。

c)远程联网模式：

①安全等级 1、2：不大于 20s；

②安全等级 3、4：不大于 10s。

13 入侵和紧急报警系统通常是安全技术防范系统的一个子系统，当出现非法入侵/破坏等时，入侵和紧急报警系统将发出报警信息、指明报警部位，提醒有关人员尽快到达现场处置，同时向视频安防监控系统、出入口控制系统发出联动信息，启动相关设备，并采取必要的措施。如入侵和紧急报警系统与其他系统采用同一个传输设备和控制设备，一旦该设备出现故障，该两个子系统都将失效。因此，对于高风险保护对象，为了保证整个安全技术防范系统的可靠性、有效性，入侵和紧急报警系统要能独立运行，在安全防范管理平台或其他子系统出现故障时，入侵和紧急报警系统要能正常运行。

随着社会的进步、技术的发展，广大居民对安全的需求也在日益增加，安全防范系统的应用也深入到千家万户，对于居民住宅这样的用户来说，由于个性化需求、定制化服务的发展，用户所要保护的对象及安全防护需求的各有不同，比如：有的是为了防盗，有的是为了方便老人、小孩的紧急求助；有的是希望与小区联网，有的是希望能传到手机上，能远程遥控；有的用户希望能报警就行了，有的希望还能看到现场图像，有的希望还能远程遥控开灯、开空调、开门等。智能家居到底是以什么为主，是安全性，还是便捷性和舒适性，那么在此之间需要一个平衡点，既能实现安全的需求，还能达到便捷和舒适。另外，目前智能家居大多采用多技术集成(指将网络通信、安全防范、自动控制等技术与家居生活有关的设施设备集成)，其与外界的传输有有线和无线两种方式，其构成的模式与高风险单位的构成模式差别很大，如完全按照高风险保护对象的防护要求来要求家居安防系统的设计、配置显然是不现实，因此，对于低风险保护对象，可自行选择运行配置方式。

14 本款是强制性条文，必须严格执行。在实际使用过程中，由于报警系统设计施工不当、探测器安装位置的不合适、气候变化、小动物活动、环境噪声、设备故障和用户使用不当等因素的影响，往往容易造成某些探测器产生误报警，因此，在系统设计时要根据安全管理要求和现场实际情况，提出合理的误报警率。

安全防范的三个基本要素(探测、反应、延迟)要相互协调，探测、反应、延迟的时间需满足公式 $T_{探测}+T_{反应}\leqslant T_{延迟}$ 的要求，否则，系统所选用的设备无论怎样先进，系统设计的功能再多，都难以达到预期的防范效果。而入侵和紧急报警系统是安全防范系统中三个基本要素(探测、反应、延迟)的首要环节“探测”的重要一个子系统，如果探测不起作用，发生入侵行为时出现不报警，监控中心、报警接收中心就无法“反应”，无法向外求援，将导致人员的伤害和财产的损失，也就达不到防范的目的，因此，本条文提出系统不得有漏报警。

15 各类状态/事件信息包括入侵、紧急、防拆、故障、误报警、操作等，其中入侵报警信息与现场的地理空间环境、气候状况、探测器技术原理、环境参数变化（包括温度、湿度等）和不同时段人员设备（包括车辆、飞行器等）活动状态等密切相关。系统可通过传感器应用、数据处理、多传感器信息融合等技术对这些历史状态/事件信息的统计分析、综合识别、分析、研判等，形成各种预案，达到对可能发生的事件进行预测，实现入侵探测的智能化，即具有感知能力、记忆和判断能力、学习能力和自适应能力、行为决策能力，提升系统的防御能力。

6.4.4 视频是以人的视觉感知为基础设计生成的具有时间连续感和空间、颜色分布感（仅在可见光和伪彩色条件下）的信号，具有可感知现场场景的一维时间和二维空间（三维投影）特征的能力。

按照视频信息流的应用观点，视频监控系统由视频采集、视频传输、视频处理、视频存储、视频显示和相应控制管理等部分构成。

6.4.5 本条条文说明如下：

1 本款是强制性条文，必须严格执行。应结合现场具体情况选择适当的位置角度，选用适当性能的摄像机和镜头，最大可能及时获取监控区域和监控目标的实时信息。非可见光成像设备的使用为恶劣光照条件下的目标发现提供了条件。视频采集设备具体安装位置的选择可参照第 4.1 节的相关内容。

一般地，针对相对固定的范围进行宏观观察时，宜选用固定安装的较为广角的镜头的摄像机，针对固定区域的特定目标的观察通常采用固定安装的焦距较大的定焦镜头的摄像机进行观察。对于具有较大活动范围的目标可考虑选用多个固定安装的定焦摄像机接力观察范围的方式进行观察。对于既要对同一监控区域的宏观状况进行观察，又要对其中的特定范围进行特征观察（如人的步态、人脸、车牌和车型等）的情形，可考虑选择具有 PTZ 功能的摄像机。电梯轿厢内的摄像机一般用于观察乘员的面部特征和在轿厢内的活动情况，安装在轿厢顶部的轿门的左侧或右侧，也有的认为应包括乘员进入轿厢的人员面部特征和人员操作轿厢控制面板的情况，建议安装在轿厢顶部远离轿门的左侧或右侧。

摄像机采用可见光或近红外光成像的摄像机，宜考虑背对光源的方向或者顺着光线的方向观察目标。当需要逆光观察目标时，应考虑摄像机具有光照度宽动态响应的能力。

视频采集设备可同时具有音频直接采集功能，或具有音频采集的接口。

2 本款是强制性条文，必须严格执行。传输信道的衰耗、带宽、信噪比，误码率、时延、时延抖动等指标是通信网络的基本内容。其中，模拟信道更多体现为衰耗、带宽、信噪比、群时延等指标，数字信道则除了前述的指标外，更多体现为误码率、时延和时延抖动等指标。

传输信道编码和加密/加扰策略是为加强信号传输抗干扰和防窃听的常用方法。

模拟视频信号通常采用信号分配的方式，数字视频信号特别是 IP 视频信号一般采用视频数据分发的方式。视频传输支持对同一视频资源的信号分配或数据分发的能力，以确保多个设备或用户对同一视频源的访问。音频信号与此相似。

视频的传输和信号分配/分发构成了视频系统的传输网络的主要部分。在确保信息数据完整可靠的前提下，对系统内的各种信息源进行管理整合使用是视频系统建设追求的目标。

3 本款是强制性条文，必须严格执行。根据授权，用户或终端可对系统内的任意视频源进行调取、切换等操作。切换调度功能在广播电视领域用户端又会被称作视频节目的点播功能。这些功能对于实战指挥研判系统来说是至关重要的。

一般地，本地实时视频源切换显示响应时间不大于 1s。

4 本款是强制性条文，必须严格执行。PTZ（指对云台的水平 Pan 和垂直 Tilt 转动控制、对镜头的变焦 Zoom 控制）实时控制，是用户或终端设备对前端的遥控摄像机的云台和镜头进行左右上下转动和放大或缩小等实时操作。远程控制功能是实战指挥系统所不可或缺的内容。这一功能特别适用于对于现场目标的搜索和跟踪。视频采集设备的工作参数调整包括编码方式(如全电视信号、视频音频的数字压缩编码方案、HD-SDI、HDMI 等)、码流、帧率调整、是否加密传输等内容。

PTZ 的控制延时和视频的编码、解码延时的总和应满足摄像机的实时跟踪目标的要求。

5 本款是强制性条文,必须严格执行。系统显示功能可以实时显示系统内的前端实时采集的视频图像,也可以实时播放已存储的视频图像。系统的显示设备具体显示内容取决于当前用户的操作权限。显示的效果取决于为指定用户设定的显示模式。显示的方式可以是单屏幕单路画面,也可以是单屏幕多画面,也可以是组合屏幕综合显示。

系统图像是指一个完整的视频系统中从采集、传输、存储到显示环节中所能最终展示的最低图像质量的图像(采用现行行业标准《安全防范高清视频监控系统技术要求》GA/T 1211—2014 中的描述)。

图像质量包括图像的信噪比、图像的空间(静态和动态)和时间分辨力、灰度级别、几何特征和颜色特征、原始完整性等内容。对于非可见光的成像图像质量内容则可不包括颜色特征的内容。

原始完整性是指视频、音频设备或系统获得的数据表述的场景和目标特征与原始现场的投影特征保持(物理意义和逻辑意义)一致性的程度。原始现场的投影特征主要是指现场和目标的时空特征:在特定光谱条件下投影(投射)空间中的比邻关系、几何及纹理特征、投影颜色(仅一定照度的可见光条件下)、灰度层次、观察区域内的事件变化的连续性和后继顺序、音频频谱特征等。评价方法目前主要采用客观化的主观评价方法。这是视频音频数据作为司法证据和查找案件线索的关键前提。

6 本款条文说明如下：

1）完整记录指定的视频图像信息是指对视频图像本身数据及其相关数据如数据的摘要、数据的来源、数据的记录时间、存放位置等均可全面记录，并可以此来进行数据的检索等操作。

视频存储格式通常指图像格式，以亮度信号的像素矩阵表示，如 1920×1080，1280×720，720×576，704×576 等。存储时通常还需考虑选择适当的视频音频编码压缩方案，如 SVAC（指符合现行国家标准《公共安全视频监控数字视音频编解码技术要求》GB/T 25724 的视音频编解码）、H. 264、H. 265、G. 711 等，还需考虑选择适当的视频图像记录的帧率，例如 15/20/25/30/50/60fps 等。

存储周期长度，经常被称作存储时间，或者叫作保存时间，有时还强调为连续存储时间。它是对视频数据存储的一种特定表达方式，它是指设备或系统能够在不间断的时间段内，持续对既有和新生数据进行保存的能力，而且这种能力被反复使用，进行数据更新，使得设备或系统中存储的数据始终为不短于最新时刻前的周期长度。在档案管理中，保存时间是指特定的数据或者物件保持原有状态的持续时间，例如某档案保存时间十年，是指该档案被妥善保管，在十年内内容不可被篡改或销毁。

数据更新则主要指在循环存储视频、音频数据时的更新策略，如更新的最小间隔为 30s 的视频数据的新旧交叉，保存为文件的最小打包时间长度为 0. 5h 等。

2）视频存储设备要不断记录视频数据，同时，又可被其他用户或设备进行访问检索读出，前者对应了设备的写动作，后者对应了设备读动作。一台好的视频存储设备，其读写能力（又叫做 I/O 能力）需要足够大的缓冲和带宽。

存储视频的回放主要用于人机交互中的事后分析研判。

存储视频的检索是事后分析研判中进行数据调取的基础，科学的、高效的检索方法将大大提升存储视频的应用效能。

3）音频数据的存储根据与现场视频的关联紧密程度，可以单独或伴随视频数据同步存储。

7 本款是强制性条文，必须严格执行。根据《中华人民共和国反恐怖主义法》第三十二条的规定：防范恐怖袭击重点目标的管理单位应当建立公共安全视频图像信息系统值班监看、信息保存使用、运行维护等管理制度，保障相关系统正常运行。采集的视频图像信息保存期限不得少于九十日。根据国家有关治安管理规定，其他目标的视频图像信息保存期限不应少于三十日。

本条所说的"保存期限"是指视频图像信息在系统中的连续存储时间，而不是指档案生成后的保存期限。有些重要的视频图像信息作为档案保存时，保存期限可能要求为几年、几十年甚至永久保存。

8 在现行国家标准《安防监控视频实时智能分析设备技术要求》GB/T 30147—2013 中，视频智能分析方法有：运动目标检测、遗留物检测、物体移除检测、绊线检测、入侵检测、逆行检测、徘徊检测、流量统计、密度检测、目标分类等。

目前正在大规模应用的视频智能分析方法有人脸识别、车牌识别等。

图像质量分析作为视频智能分析的重要应用正成为系统运维的重要工具。

视频音频的场景分析、目标识别或行为分析的前提是系统图像质量至少满足如下基本要求：

（1）模拟视频、音频的信噪比应不低于 38dB。数字视频音频的信噪比应具有不劣于上述指标的测量方法。可参照现行国家标准《民用闭路监视电视系统工程技术规范》GB 50198—2011 的相关内容。

（2）视频图像的静态和动态空间分辨力满足系统记录现场和识别目标的要求，并宜具有不低于 300TVL 的水平和垂直方向的分辨力。

(3)视频的时间分辨力不高于40ms。

(4)视频的灰度鉴别等级不少于8级。

(5)对于具有可见光彩色采集的场景，视频色彩分辨能力满足目标识别的要求，并在显示时与现场场景保持一致。

(6)视频图像的几何特征与现场欧氏几何变换结果一致，即几何投影应是欧氏线性的。若存在几何畸变，应有相应的措施进行校正或者说明。几何畸变严重的情形不宜用于高度依赖几何线性比例方式的目标识别场合。

(7)视频音频应具有原始完整性，并宜具有适当的验证措施。

9 这里重点强调了视频系统内部可根据需要提供摄像机间的相互联动，活动目标的跟踪联动等。

10 本款是强制性条文，必须严格执行。系统管理是系统基本功能。除了这里介绍的系统应具有对用户(操作与管理本系统人员)的操作权限管理、操作与运行日志记录与管理、自我诊断和检查外，系统基本功能还包括事件的触发联动配置与管理、相关数据的导入和导出、值守人员的人机交互界面配置等功能，并在特定环节上满足安全等级的要求。

目前视频系统管理通常以管理平台的形式出现。这里的管理平台可以是对安全防范各子系统进行集成的安全防范管理平台，也可以是专门针对视频监控系统进行集成的管理平台。

11 这是系统级实现安全、可靠运行，确保系统的高安全等级的基本措施。

12 视频监控系统及其管理平台可根据管理应用需要，进行多层次的纵向级联，为更大规模的管理应用打下基础。

通过视频监控系统的管理平台，横向可与其他业务系统、信息系统的数据实时交换，为各种资源共享和业务整合提供更加有效的支撑。

在集成联网应用中，视频监控系统及其管理平台应做好自我保护和抗破坏的措施，应提供多级权限管理和风险分散措施，响应性能满足使用管理要求。

联网应用是以视频传输和管理平台为基础建立起来的。在公共安全行业和许多其他领域都建立了垂直的视频监控联网系统。

6.4.7 本条对出入口控制系统的设计内容做了规定。

1 本款条文说明如下：

(1)应根据出入口控制点的风险防范要求确定与之对应的安全等级。根据安全等级对识别、传输、控制、监测、授权、系统自我保护等要求进行相应的配置。

(2)安全等级的划分：

等级1:低安全等级。防范的对手基本不具备出入口控制系统的知识,且仅使用常见、有限的工具,当对手在面对最低程度的阻力时很有可能放弃攻击的念头。该等级通常可用于风险低、资产价值有限的防护对象,防护的主要目的是阻止和拖延对手行动。

等级2:中低安全等级。防范的对手仅具备少量出入口控制系统知识,懂得使用常规工具和便携式工具,当对手意识到可能已被探测之后很可能放弃继续攻击的念头。该等级通常用于风险较高、资产价值较高的防护对象,防护的主要目的是阻止、拖延和探测对手的行动。

等级3:中高安全等级。防范的对手熟悉出入口控制系统,可以使用复杂工具和便携式电子设备。当对手意识到可能会被认出及抓获,有可能放弃继续攻击的念头。该等级通常用于风险高、资产价值高的防护对象,防护的主要目的是阻止、拖延和探测对手的行动,同时可以提供方法,帮助认出对手。

等级4:高安全等级。防范的对手具备攻击系统的详细计划和所需的能力或资源,具有所有可获得的设备,且懂得替换出入口控制系统部件的方法。当对手意识到可能会被认出及抓获,有可能放弃继续攻击的念头。本等级的安全性优先于其他等级的所有要求,该等级通常用于风险很高、资产价值很高的防护对象,防护的主要目的是阻止、拖延和探测对手的行动，同时可以提供方法，帮助认出对手。

2 具有相同出入权限的多个受控区，互为同权限受控区。具有比某受控区的出入权限更为严格的其他受控区，是相对于该受控区的高权限受控区。

系统设计应注意防范对手在非同权限受控区、低权限受控区接触系统设备而导致相应出入口开启的情况发生。

3 本款条文说明如下：

1）仅使用 PIN（个人识别密码）识读的系统，不可用于高安全等级的场所。

2）例如，当 PIN 使用十进制代码时，10 个以下用户为 4 位数，100 个以下用户为 5 位数。

3）载体凭证的密钥量：安全等级 1 时大于 $10^4 \times n_{max}$；安全等级 2 时大于 $10^6 \times n_{max}$；安全等级 3 时大于 $10^6 \times n_{max}$；安全等级 4 时大于 $10^6 \times n_{max}$。

n_{max}表示每种凭证在出入口控制系统中可使用的最大数量。

4）FAR 表示误识率，FAR_{eff}表示误识率的等效值。模式特征信息凭证识别的 FAR_{eff}应满足相应等级的要求。

注：1 当 1∶1 比对时 $FAR_{eff}=FAR$；当 1∶n 比对时 $FAR_{eff}=FAR \times n$。

2 FAR 的值是基于生厂商提供的文件。

安全等级 1 时：$FAR_{eff}<1\%$；安全等级 2 和 3 时：$FAR_{eff}<0.3\%$；安全等级 4 时：$FAR_{eff}<0.1\%$。

4 本款条文说明如下：

3）防重入是指：能够限制经正常操作已通过某出入口（或进入/离开某受控区）的目标，未经正常通行轨迹而再次操作又通过该出入口（或进入/离开某受控区）的一种系统功能。

4）复合识别是指：系统对某目标的出入行为采用两种或两种以上的凭证识别方式，并进行逻辑相与判断的一种组合识别方式。

5）多重识别是指：同时或在约定时间内对两个或两个以上目标

进行识别后才能完成对某一出入口实施控制的一种组合识别方式。

6)异地核准是指:系统操作人员(管理人员)采用非现场监控的方式,经对在某出入口的识读现场已通过系统识别的授权目标进行再次确认,才能对此目标远程关闭或开启该出入口的一种系统功能。

7)防胁迫是指:目标在进行识读操作时,除能发出正常出入请求外,还能引发被胁迫警示信号的一种系统功能。

8)防尾随是指:防止和(或)检测企图在单次操作下使用单目标凭证,同向通过两个或多个目标的一种系统功能。

7 本款条文说明如下:

(1)安全等级1级时至少为4位数字密码;安全等级2级时至少为5位数字密码;安全等级3级时至少为包含字母的6位密码;安全等级为4级时至少为包含字母的8位密码。

(2)安全等级3、4级时,PIN信息不允许顺序升序或降序,也不允许相同字符连续使用大于两次。

8 本款是强制性条文,必须严格执行。出入口控制系统的设计应考虑对手可能通过攻击系统,达到入侵的目的。

在出入口控制系统中,应特别注意受控区域及其级别,以及现场设备安装位置和连接线缆的防护措施等因素对安全的影响。

出入口控制等技防系统在某种意义上来说,好比设置了一个技术迷宫,它增加了非法入侵者的作案难度,延迟作案时间,并能提早报警以便及时处警。但在实际应用中,非法入侵者在初步了解技防系统后,并不去直接去解开迷宫通路而是寻找系统的薄弱点进行攻击从而达到犯罪目的。在出入口控制系统中,执行部分的输入线缆及其连接端,就是一个易于被攻击的薄弱点。

为此在本标准中对出入口控制系统特别提出了"受控区"等概念和对执行部分输入电缆的端接与防护要求,以便指导我们的系统设计、施工安装、检测验收工作。

举例来说,一个管理了从A～G共7个受控区域的出入口控制系统(比如某个公司的多个办公室),如图3所示。

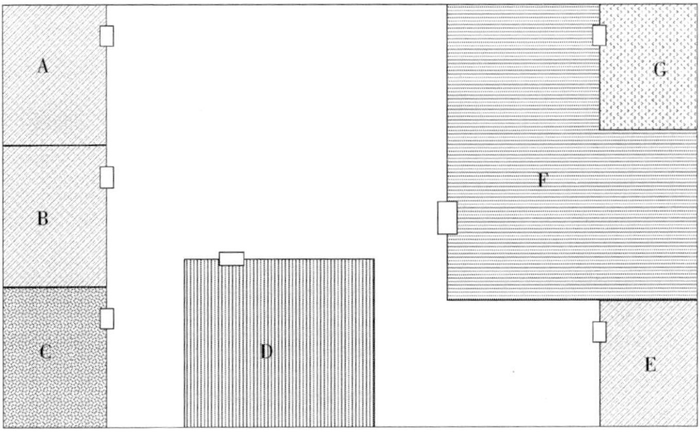

图 3　出入口控制系统受控区示意图

其中：A、B、E 三个区域为同权限受控区，即它们对目标的授权是一致的，能进入 A 区的目标也可进入 B、E 区，能进入 B、E 区的目标也同样能进入 A 区。G 区是相对于 F 区的高权限受控区，即能进入 G 区的目标一定能进入 F 区，而能进入 F 区的目标不一定能进入 G 区。C 区和 D 区分别是相对于其他受控区的非同权限受控区，即能进入该区的目标不一定能进入其他区，而能进入其他区的目标也不一定能进入该区。若能进入 G 区的目标也能进入其他任何区的话，那么 G 区就是该出入口控制系统的最高权限受控区。

该例子若是某公司的多门联网门禁系统的话，有许多问题值得探讨：

问题一：采用多门门禁控制器应特别注意其安装位置。

目前采用直流或脉冲信号等非编码信号直接驱动电控锁具的门禁控制器占很大比例。如图 4 所示，采用双门控制器控制 A 和 B 两个门是合理的；若控制 B 和 C 门就存在问题，控制器安装在 B 区内 C 区就不安全，控制器安装在 C 区内 B 区就不安全。

安装在 G 区的双门控制器控制 G 和 F 两个门是否合理呢？答案是肯定的。

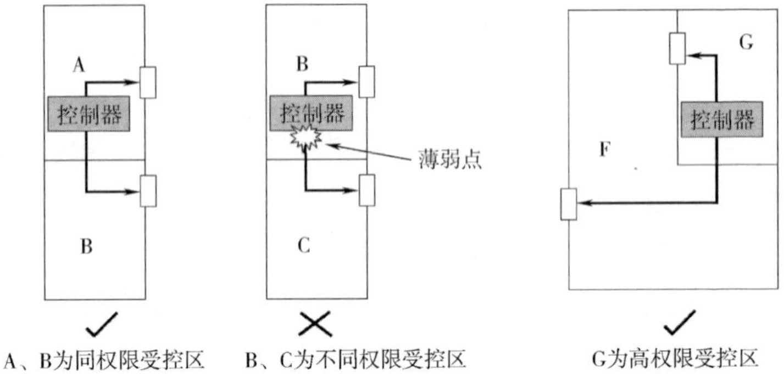

图 4　出入口控制系统受控区的设备安装示意图

问题二：采用多门门禁控制器应特别注意对电控锁连接线的防护。

如图 5 所示，当电控锁的连接线必须离开本受控区、同权限受控区、高权限受控区敷设时，有可能成为被实施攻击的薄弱点，必须严格防护。

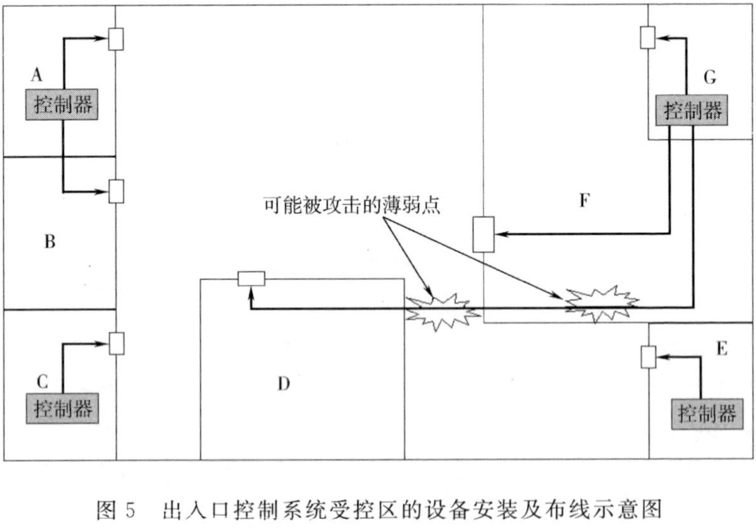

图 5　出入口控制系统受控区的设备安装及布线示意图

在多出入口系统中要想提高安全性和可靠性，减少工程施工带来的安全隐患，建议尽量采用联网控制的单出入口控制器。若必须采用多出入口控制器，则应安装在高级别防区内并做好对执行部分输入线缆的防护。

9 本款条文说明如下：

(1)安全等级为2、3、4级的出入口控制系统，其警示功能应符合下列规定：

①出入口控制器与监控中心通信中断，应有警示；

②出入口被强行开启，应有警示；

③探测到防拆信号，应有警示；

④出入口开放超时，应有警示。

(2)安全等级为3、4级的出入口控制系统，其警示功能，除符合该条文说明(1)的规定外还应符合下列规定：

①开放超时，应有出入口控制点本地警示；

②使用无效的凭证识读操作，应有警示；

③使用胁迫凭证识读操作，应有警示；(注：输入胁迫凭证的操作不能在胁迫触发的地方产生可视或可听见的信号)

④电源故障，应有警示；

⑤出入口被强制开启后关闭，或强制开启时间超长，应有警示。

10 本款条文说明如下：

(1)现场控制设备(出入口控制器)中，平均到每个识读装置的事件记录能力的最小数量：安全等级1级时为32，安全等级2级时为500，安全等级3级时为1000，安全等级为4级时为1000；

(2)出入口控制的管理端保存的事件记录能力，应不小于180d。

11 本款是强制性条文，必须严格执行。出入口控制系统的设计，应充分考虑“安全”因素，英文“Security”和“Safety”翻译成中文都是“安全”，但它们的含义有所不同，“Security”是“安全”的社会属性，“Safety”是“安全”的自然属性。以防入侵、防盗窃、防抢劫、防破坏、防爆炸等为目的的安全技术防范系统主要针对的是“Security”；而防火、防目标被非人为因素伤害等是“Safety”涉及的问题。当同时出现这两种“安全”问题时，在大多数情况下应优先解决“Safety”问题，这是设计系统与产品的基本原则。

在出入口控制系统中，识读部分与执行部分是出入目标最易接触的部分，也是最有可能对出入目标的造成伤害的部分。但不同的产品类型，其对安全的影响也是不同的。

在生物特征识别中，指纹、掌形识别等需人体直接接触的识读装置就不如面部、眼虹膜识别这类不需人体直接接触的识读装置安全，因为直接接触的识读装置的接触面若不能及时清洁，就有可能成为某些传染性疾病传播的媒介。

另外，直接担负阻挡作用的执行机构，其启闭动作本身必须考虑出入目标的安全，如电动门的关闭动作必须等待出入目标安全离开时方可进行，挡车器必须等待车辆离开方可落下档车臂等。

在安防系统中与紧急疏散及消防系统联系最为紧密的就是出入口控制系统。出入口控制系统强调的是对空间的隔离，以保证“Security”；而紧急疏散及消防系统强调的是能快速逃离，以保证“Safety”。

在“Safety”优先的原则指导下，出入口控制系统的设计必须满足紧急疏散及消防的需要，这并不是说出入口控制系统所管理与控制的每个出入口必须与消防联动。但在本条相关约定的条件下必须联动，保证在火灾等紧急情况发生时，用于闭锁或起到阻挡作用的出入口控制执行部件能自动释放疏散出口，人员不经使用识读过程也能迅速安全地疏散。

13 本款为强制性条文，必须严格执行。所谓“一卡通”，是指能用1个介质凭证完成2个以上应用的一种系统集成功能。在出入口控制系统中，常用“卡”作为编码凭证供系统识读使用，这张“卡”也可能同时用于食堂消费等其它应用系统中，这给使用者带来十分的便利。

由于安防系统必须独立运行，其凭证等重要数据信息，不应放置在其他业务系统中。比如：不能将门禁数据库服务器开放给财务等其他非安保业务部门；同样地，消费充值等其他业务信息，也不宜由安保部门管理，而应当将门禁系统数据与其他业务系统隔离。通常“一卡通”的正确做法可以是由制证部门统一将人员信息及卡的基本信息录入后，分别分发给门禁服务器及其他业务系统服务器，再由各系统分别管理。

因此，在“一卡通”的应用模式中，作为授权凭证的卡的载体是可以共用的，但需要在不同的系统中去分别设置权限或规则。在一个单位里，管理出入口控制系统的系统管理员，与管理其他业务系统的管理员不应是一个人，他们有各自的管理责任，在系统级就需要采用独立设置与管理。这也是确保系统自身安全的重要措施。

6.4.9 本条对停车库（场）安全管理系统设计内容做了规定。

3 行车疏导（车位引导）可采取入口处车位显示、分层车辆统计与在位车显示等多种方式。

5 本款为强制性条文，必须严格执行。报警是安防系统的重要手段，停车库（场）安全管理系统作为安防系统的子系统，与其他安防子系统一样，将报警作为最重要的功能之一。

6.4.10 本条对防爆安全检查系统设计做了规定。

1 本款是强制性条文，必须严格执行。

（1）保护单位或区域是根据反恐怖工作和安全防范管理工作的需要而确定的，一般包括：防范恐怖袭击的重点目标（如大型活动场所、机场、火车站、码头、城市轨道交通车站、公路长途客运站、口岸等）、特殊单位或区域（如核电站、重要物资存储地、监狱等）以及人员密集公共场所（如科技馆、图书馆、影剧院等）。

（2）安全检查的对象包括进入保护单位或区域的人员、物品和车辆。

(3)安全检查检测的违禁品主要包括武器类(枪支、管制刀具等)、爆炸类(弹药、爆破器材、烟火制品等)、易燃易爆物品类(氢气、天然气等压缩气体和液化石油气、氧气、水煤气等液化气体)、毒害品类[氰化物、汞(水银)、剧毒农药等剧毒化学品等]、腐蚀性物品类(盐酸、氢氧化钠、氢氧化钾、硫酸、硝酸等)以及放射性材料、化学毒气等。

2 主要安全检查设备标准如下:《手持式金属探测器通用技术规范》GB 12899—2003;《微剂量X射线安全检查设备 第1部分 通用技术要求》GB 15208.1—2005;《通过式金属探测门通用技术规范》GB 15210—2003;《基于离子迁移谱技术的痕量毒品/炸药探测仪通用技术要求》GA/T 841—2009;《基于荧光聚合物传感技术的痕量炸药探测仪通用技术要求》GA/T 1323—2016;《基于拉曼光谱技术的液态物品安全检查设备通用技术要求》GA/T 1067—2013。

随着上述标准修订和新产品标准的发布,安全检查设备产品标准也在不断更新和完善。

3 本款是强制性条文,必须严格执行。安全检查设备应采用安全的技术,对人体的影响要可控,不产生伤害,如射线的辐射剂量控制。

安全检查设备不应影响被检物品的功能和性能,如通道式X射线安全检查设备是微剂量X射线检查设备,其单次检查剂量要小于5μGy。

安全检查设备的探测不能使被检爆炸物达到起爆条件。

微剂量X射线安全检查设备的泄漏射线剂量率要求在单位时间内穿过辐射屏蔽防护,泄漏到设备外部的电离辐射强度要小于一定的限值,以保障设备正常使用时不对周围人员产生辐射伤害。

安全检查设备正常运行时不应干扰周边其他设备设施的正常运转。

4 本款是强制性条文,必须严格执行。随着安全检查技术的发展，成像式人体安全检查设备开始在有些安全检查场所使用，包括毫米波技术、太赫兹技术的人体安全检查设备，但要求被检人体显示图像要通过图像处理技术保护被检人员隐私，不显示清晰人体图像，以卡通人体图像或标准人体模板图像显示，突出显示违禁品图像。

5 安全检查信息包括安全检查设备报警信息、安全检查图片信息、图像信息、安全检查区域视频图像信息等。根据《中华人民共和国反恐怖主义法》(2015 年中华人民共和国主席令第三十六号)第三十二条“采集的视频图像信息保存期限不得少于九十日”的规定，安全检查信息存储时间要大于或等于 90d。安全检查信息可以在设备上存储，也可以拷贝到其他介质上存储。

6 安全检查区位置设置在出入口，目的是防止进入被保护场所的人员、物品、车辆携带或夹带违禁品进入该场所。但现状是在设计上还存在欠缺，如城市轨道交通设计没有考虑站外安全检查预留场地或设施，寄递企业业务流程设计上没考虑安全检查区域等，这些均需要在后续的改造中得以改进。

在安全检查系统设计时应考虑安全检查区位置设置，评估流量，合理配置安全检查通道数量，并根据流量高峰、平峰、低峰情况动态调整安全检查人员。

7 根据实际需要，不限于选择配置本款规定的安全检查设备类型。

8 鼓励使用探测率和通过率高、对人员物品环境不良影响小的新技术、新产品。

目前安全检查设备多是单设备或单系统联网使用的。在人员密集的大流量出入口和通道，除推荐采用高效、安全的快速通过式安全检查设备外，也可采用智能化技术(如视频智能分析技术、人脸识别技术等)，通过多技术系统的集成和流程化设计提高安全检查效率，实现人员、物品快速安全检查。

9 本款是强制性条文，必须严格执行。安全检查现场配置的防爆处置设施包括防爆毯、防爆球或防爆罐，防护设施包括盾牌、钢叉等。配备数量可根据安全检查现场实际情况和需求来确定，安全检查区内或相邻安全检查区可共用。

防爆处置、防护设施要有权限管理，不是岗位人员不能取得，而且设施所放位置既要便于取用，又不影响快速处置。

10 安全检查区设置视频监控装置实时监视安全检查现场情况并进行录像，有助于安全检查过程受控，不仅能对安全检查人员工作进行管理，督促安全检查人员按规范开展安全检查工作，同时能在安全检查人员与受检人员发生纠纷时回放图像查找原因。

11 临时举办的大型活动，要根据活动安全需要设置临时的安全检查系统。可以是活动主办方自主配备安全检查设施，也可采用租赁等多种方式。

6.4.11 楼寓对讲系统也称为访客对讲系统，具有可视功能的系统通常称为可视对讲系统。系统通常由访客呼叫机、用户接收机、管理机、电源及辅助设备组成。用于居民住宅小区的楼寓对讲系统应用构成示意图如图6所示。

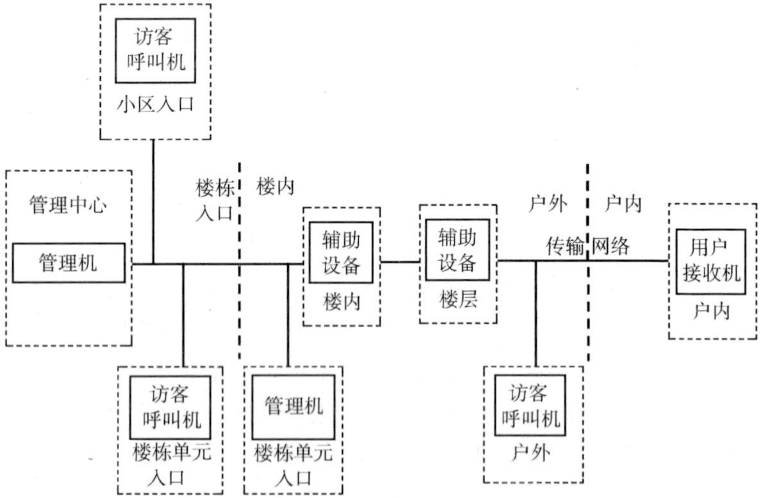

图6 楼寓对讲系统应用构成示意图

在图6中，系统组成设备可以根据系统规模和实际需求进行增减；系统至少应包含一台访客呼叫机和一台用户接收机；管理机和辅助设备为可选设备，根据系统需求加以选配。

6.4.12 本条对楼寓对讲系统设计做了规定。

5 本款为强制性条文，必须严格执行。楼寓对讲系统的重要功能就是通过关闭的受控门，将用户和访客进行隔离，通过用户对访客的甄别，由用户选择是否开启受控门。因此，确保受控门的正常关闭非常重要。当受控门开启时间超过预设时长时，意味着系统处于不安全状态；当访客呼叫机防拆开关被触发时，意味着可能有人破坏访客呼叫机、尝试非法开启受控门。以上情况均应在现场发出告警提示。

6 本款对管理机应具有的功能做了规定。

(1)配置管理机的系统应具有以下功能：

①设备管理功能：应能对所安装的系统设备进行添加、配置、删除等管理操作；

②权限管理功能：应能根据设置权限对管理人员的操作权限加以控制与管理。

(2)配置管理机的系统可根据需求选择以下功能：

①信息发布功能：发布信息至访客呼叫机或用户接收机；

②数据备份及恢复功能：备份和恢复存储的设备参数、运行日志等数据；

③通行事件管理功能：记录访客呼叫的时间、日期和开锁等事件信息。

7 在现行公共安全行业标准《楼寓对讲系统安全技术要求》GA 1210—2014的附录A中，对报警控制及管理功能提出了规范性要求。

8 无线扩展终端是指联入系统的手机、平板电脑等无线设备。

9 本款为强制性条文，必须严格执行。用户寓所的入户门是指分隔住户私有空间与公共空间的门。产品供应商或系统集成商应采取安全管控措施,包括访问控制、控制指令保护、数据存储保护等安全措施,并提供相关产品检测报告,以确保不因这些措施失效而导致入户门被非法开启。

6.4.14 电子巡查系统分为在线式和离线式两种形态。在线式可以采用有线或无线方式。在线式具有较强的实时性。

系统可独立设置,也可与出入口控制系统等联合设置,即利用出入口控制设备实现电子巡查功能。

6.4.15 应急对讲是指在紧急情况下使用的,两个独立物理空间之间的语音对讲。常见的应急对讲系统如自助银行与安防监控中心之间的对讲系统、地铁客室与司机室之间的对讲系统、收费窗口与安防监控中心之间的对讲系统等。

6.5 集成与联网设计

安全防范系统集成一般通过综合布线系统和计算机网络等技术,将各个分离的设备、功能、信息等集成到安全防范管理平台,使资源达到充分共享,实现集中、高效、便利的管理。系统集成应采用功能集成、网络集成、软件界面集成等多种集成技术。系统集成实现的关键在于统一接口和协议,以解决设备、子系统、安全防范管理平台等之间的互连、互操作问题。

这里讲的安全防范管理平台是指对安全防范各子系统进行集成与联网的管理平台。

对于独立的子系统,根据需要也可以通过管理平台进行集成与联网,如报警管理平台、视频监控管理平台等。

6.5.1 入侵和紧急报警系统、视频监控系统、出入口控制系统等独立子系统的集成设计是它们各自主系统对其分系统的集成。总系统的集成是由安全防范管理平台对各子系统以及其他电子信息系统的集成。

6.5.6 应考虑安防系统传输网络与其他业务系统网络之间的边

界安全管控措施和系统自身网络的不同安全域之间的安全管控措施。

6.5.7 系统集成时需要考虑用户授权策略、控制优先级策略、设备资源受控权限的协调策略、并发访问时共用资源(如网络带宽)的保障协调策略等。

6.5.8 应根据用户工作的习惯性、操作控制的专业性、业务处理易用性和信息显示的直观性等因素,选择适宜的客户端界面,根据需要可支持多种客户端界面。

6.5.9 本条条文说明如下:

1 防护现场的各类入侵探测器和紧急报警装置通过专用线路,将信号连接到本地控制指示设备上,本地控制指示设备通过专门网络与监控中心的控制指示设备相连,监控中心的控制指示设备通过专用网络将报警信息发送至上一级的监控中心或接警中心的管理平台。这里的接警中心是指公安机关的接处警中心。

2 防护现场的各类入侵探测器和紧急报警装置通过专用线路,将信号连接到本地控制指示设备上。本地控制指示设备通过公共电话网络或者互联网,将报警信息发送到监控中心、报警运营服务中心或接警中心的管理平台。

3 安装在防护现场的本地控制指示设备通过公共电话网络或者互联网,将报警信息上传到接警中心或报警运营服务中心的云平台集中管理。

6.5.10 本条条文说明如下:

1 各级监控中心管理平台之间采用专线级联,本地监控中心管理平台实现本级的视频资源的视频切换、存储、显示等,上级管理平台可对本级和下级的实时和历史视频进行查阅。

2 应充分考虑应用需求,可采用视频信号逐层汇聚,实现下级监控中心的本地管理,上级监控中心的资源共享调用模式;也可采用视频信号接入统一的监控中心集中管理,授权多级客户端调用模式。

3　通过云存储架构对所有视频图像信息进行统一存储、管理和共享应用。

6.5.11　本条条文说明如下：

1　各级出入口控制系统的现场数据信息实时上传到管理平台，在本级系统进行出入授权管理。

2　各级出入口控制系统的现场数据信息实时上传到管理平台，由管理平台统一进行出入授权管理。

6.5.14　联网系统由多级管理平台和多个子系统构成，当某一平台或子系统出现故障时不允许对联网系统中的其他系统/设施产生影响。

6.5.15　冗余是指重复配置系统的一些部件，当系统发生故障时，冗余配置的部件介入并承担故障部件的工作，由此减少系统的故障时间。服务器的冗余设计可考虑以下几个方面：

(1)服务器可采用双电源，这两个电源是负载均衡的，即在系统工作时它们都为系统提供电力，当一个电源出现故障时，另一个电源就承担所有的负载。

(2)服务器存储系统是容易发生故障的地方，可通过磁盘镜像(将相同的数据分别写入两个磁盘中)、磁盘阵列(全称为独立磁盘冗余阵列，缩写是RAID。由多个独立磁盘组成，如果一个磁盘发生故障，可以在线更换故障盘)等方式实现服务器存储的冗余设计。

双机热备是利用故障点转移的方式来保障业务连续性，其业务的恢复不是在原服务器，而是在备用服务器。重要服务器出现问题会直接导致系统瘫痪，造成整个系统无法正常运行，对重要服务器采用备份机制，出现故障时可以自动或手动迅速切换到备用服务器，从而保证系统可以在最短时间内恢复正常。

6.6　安全性设计

6.6.2　本条条文说明如下：

1 本款是强制性条文，必须严格执行。本条要求系统所用的设备和安装部件不能对接触或靠近的人员造成机械类的伤害。

2 本款是强制性条文，必须严格执行。安全防范系统中，涉及气体设备主要是烟雾喷射设备，涉及X射线辐射的主要是防爆与安全检查系统，涉及激光辐射的主要有入侵和紧急报警系统、视频监控系统，涉及电磁辐射的主要是入侵和紧急报警系统以及传输系统。

X射线属于电离辐射，长时间照射对人体有损伤，射线越多，致癌的危险性越大。现阶段主要的标准有现行国家标准《电离辐射防护与辐射源安全基本标准》GB 18871—2002。

激光辐射对人体的伤害主要是由激光热效应、光压效应和光化学效应所致，防护重点是眼和皮肤，有激光的工作场所应张贴醒目的警告牌。现阶段主要标准有国家现行标准《作业场所激光辐射卫生标准》GB 10435—1989、《工作场所物理因素测量　第4部分：激光辐射》GBZ/T 189.4—2007、《激光产品的安全　第1部分：设备分类、要求》GB 7247.1—2012、《激光产品的安全　生产者关于激光辐射安全的检查清单》GB/Z 18461—2001等相关标准。

电磁辐射量过大就会导致人患疾病，能对中枢神经系统、对机体免疫功能、对心血管系统、对血液系统、对生殖系统和遗传、对视觉系统等造成危害和影响，还对内分泌系统、听觉、物质代谢、组织器官的形态改变均可产生不良影响，电磁辐射也能致癌和产生致癌作用。现阶段的标准主要有现行国家标准《电磁辐射防护规定》GB 8702—88。

对于安全防范行业来说，除了要符合以上标准的规定外，还要符合安全防范行业的相关产品和系统工程标准，主要包括：防爆与安全检查系统相关X射线、入侵和紧急报警系统的激光及微波等产品的标准，如现行国家标准《便携式X射线安全检查设备通用规范》GB 12664、《微剂量X射线安全检查设备　第1部分：通用技术要求》GB 15208.1、《激光对射入侵探测器技术要求》GA/T 1158、《遮挡式微波入侵探测器技术要求》GB 15407、《入侵探测器　第3部分：室内用微波多普勒探测器》GB 10408.3、《微波和被动红外复合入侵探测器》GB 10408.6等相关标准。

以上最新版本的标准均适用于本标准。

3 本款是强制性条文，必须严格执行。在保障系统和设备正常工作的前提下，应采取有效措施，确保电气安全，消除火灾隐患。防人身触电、防火、防过热一般要求设计时合理选用设备，安装时位置合理，并应经常检查设备的运行状况。其中：防人身触电还要求设备外壳、机柜等要采用接地、绝缘等保护措施，防火还要求设备外壳、连接线缆要采用阻燃的材料，防过热还要求设备有通风、降温等措施。

6.6.3 特殊防御功能装置如脉冲式电子围栏、炫目灯光、滚刺网等。

6.6.4 本条条文说明如下：

3 本款是强制性条文，必须严格执行。安全防范系统具有信息系统的很多特征，在系统正常工作中，应从信息安全的角度做好防病毒和防网络入侵的防护措施。一般可以采用部署防火墙、入侵检测、安装防病毒软件、日志审计等进行预防入侵、检测、清除、追查。在系统内外网边界上配置防火墙，用于防止外网未经授权访问内网以及对内网的攻击，同时也能防止内网用户未经授权访问外网；入侵检测系统用于实时地应对来自内网已知的攻击；防病毒软件主要用于检测、识别、清除系统中的病毒；日志审计系统用于在事件发生时或事后发现安全问题，有利于追查责任、定位故障、系统恢复等；为了更加有效地防止网络攻击，一般要将入侵检测系统和防火墙等安全系统进行联动设置。

5 本款是强制性条文，必须严格执行。弱口令一般指设备出厂默认的密钥或编码、顺序升序或降序的数字、相邻相同数字使用两次以上，或与操作人员相关的生日、电话号码等具有一定规律、易被破解的编码。

6 本款是强制性条文，必须严格执行。目前用于安全防范系统传输的网络类型大致可分有线网络和无线网络，有线网络有专用网络和公共网络，随着各个行业互联互通、共享应用等的应用需求，安防系统内部各子系统的集成、安防系统与其他系统的集成、上下互联等应用已成为发展的趋势。众所周知，安防系统是为安全防范而建设的，系统本身的安全性是安防系统效能能否发挥作用的重要保障，因此，需要在安防系统与其他系统之间采取网络边界安全管理措施，管理措施包括建立网络通信防护机制，实现网络数据传输的完整性保护；进行网络安全规划，包括划分网络安全域、规划网络 IP 地址、设计网络安全策略等；选用合适的网络安全产品，包括防火墙、入侵检测系统、VPN、安全隔离网闸、安全审计等。

6.6.5 本条条文说明如下：

1 本款是强制性条文，必须严格执行。这是入侵和紧急报警系统中历史沿用至今、行之有效的对设备拆改和传输线路进行防护的方法。

这一条包含对系统设备和传输线路的保护要求。首先，系统的探测装置、传输设备（箱）、报警控制指示设备或控制箱如不具备防拆报警功能，将可能出现探测器、传输、控制设备等被遮挡、被篡改，从而使系统起不到应有的探测、传输、控制作用。在很多工程中，经常出现设备的防拆开关不连接，或入侵探测器的报警信号与防拆报警信号连接到一个防区，如果连接方式不恰当，在撤防状态下，系统对探测器的防拆信号不会响应。因此，为保证系统使用的有效性，对于可设防/撤防防区设备的防拆装置，即探测器、传输设备（箱）、报警控制指示设备或控制箱等的防拆报警要设为独立防区，且 24h 设防。

报警控制指示设备是入侵报警系统的中枢，要保护好，系统建成后，要对操作人员的权限进行界定，报警控制指示设备一般只有系统管理员才有权开启，在正常工作时，报警控制指示设备内应内置备用电源，任何时候任何人打开报警控制指示设备，系统都应能记录其开启（报警）信息，以防止内部人员内盗或外部电源被破坏。

入侵和紧急报警系统的有线传输线路并不一定都处在探测器的探测范围之内，为了保证系统的正常传输，除了要求在物理上采取措施外（如采用保护管、暗埋等），还需在技术上解决线路被破坏时系统能发现的问题，即当报警信号传输线被断路、短路时，报警控制指示设备能知道线路被破坏。

3 本款是强制性条文，必须严格执行。本款要求系统控制设备具备各种信息的记忆功能，如停电前的状态为设防状态，当重新上电时，系统要自动恢复设防状态。

6.6.6 安防系统本身就是为了提高防护单位的安全而建设的，由于系统所用的设备大多是电子产品，因此，在进行设备配置、安装时，要与现场相结合，不要造成安全隐患，不对被防护的目标造成损害。

6.8 可靠性设计

6.8.1 本条对安全防范系统可靠性指标的分配做了规定。

3 在理论上，所谓可靠性，是指产品（系统）在规定条件下（使用条件＝工作条件＋环境条件）和规定时间内完成规定功能的能力。定量表示可靠性的数学特征量很多，本规范采用其最常用的特征量——平均无故障时间 MTBF（Mean Time Between Failure）作为衡量系统（产品）可靠性的技术指标。在进行系统功能设计时，需同时考虑系统的功能、性能指标与可靠性指标的相容问题，避免盲目追求过多的功能、过高的指标而牺牲系统可靠性的倾向。

系统的可靠性问题是一个十分复杂的问题，难以在短时间内用简单的方法进行定量测试。本标准重点强调的是设备的可靠性和系统的可维修性与维修保障性。

6.8.2 降额设计原是使零部件的使用应力低于其额定应力的一种设计方法。是使元器件、部件、设备在低于额定值的状态下工作，以加大安全余量，保证系统的可靠性。

6.8.3 安全防范系统设计不是越复杂越好，应尽量减少中间环节，简化系统结构，用尽可能少的部件、设备，尽可能短的路由，来实现系统的功能。

6.8.4 本条条文说明如下：

1 本款要求是为保证在系统局部受损的情况下能正常运行或快速维修。

2 本款要求是为保证系统的某个局部发生故障（或失效）时，尽量不影响系统其他部分的正常工作。

6.9 可维护性设计

6.9.2 本条对产品选型的可维护性设计做了规定。

5 本款提出宜采用标准化通信协议，例如网管协议采用SNMP（简单网络管理协议）。

6.10 环境适应性设计

6.10.1 在现行国家标准《安全防范报警设备环境适应性要求和试验方法》GB/T 15211 中划分四种环境类别，具体如下：

1）环境类别Ⅰ。能够良好保持温度的室内环境（如在住宅或商业楼内）。

2）环境类别Ⅱ。无法良好保持温度的室内环境（如走廊、大厅、楼梯、可能产生冷凝的窗户和无供热的存放区或间歇性供暖的仓库等）。

3)环境类别Ⅲ。系统部件未完全暴露于室外(有遮蔽)或室内极端环境状态下经历的环境变化。

4)环境类别Ⅳ。系统部件完全暴露于露天环境下,环境因素受室外环境变化影响。

6.10.5 根据现行国家标准《外壳防护等级(IP代码)》GB/T 4208—2017的规定,IP54中的第一位特征数字5是指防止金属线接近危险部件(直径1.0mm的试具不得进入壳内),同时应防尘(不能完全防止尘埃进入,但进入的尘埃量不得影响设备的正常运行,不得影响安全);第二位特征数字4是指防溅水(向外壳各方向溅水无有害影响)。

6.10.6 根据现行国家标准《外壳防护等级(IP代码)》GB/T 4208—2017的规定,IP66中的第一位特征数字6是指防止金属线接近危险部件(直径1.0mm的试具不得进入壳内),同时应尘密(无灰尘进入);第二位特征数字6是指防强烈喷水(向外壳各个方向强烈喷水无有害影响)。

6.11 防雷与接地设计

安全防范系统的雷电防护设计,也是系统安全性设计的重要内容。对于固定目标而言,安全防范系统常常是以建筑物或构筑物为载体的,因此做好建(构)筑物本身的雷电防护是安全防范系统雷电防护的基础和前提。然而,由于安全防范系统在本质上是一套电子信息系统,因而除了建(构)筑物的雷电防护之外,安全防范系统重点关注信息系统的雷电防护问题。在理论上,建(构)筑物防雷与信息系统防雷有着不同的性质和内容。对信息系统的雷电防护问题,国际标准化组织(如IEC)和我国的雷电防护标准化技术委员会,都在组织专家制定相关标准。本标准提出的防雷设计要求,主要是根据现行国家标准《建筑物防雷设计规范》GB 50057和《建筑物电子信息系统防雷技术规范》GB 50343的相关规定并结合我国安全防范系统遭受雷击损害的实际情况提出的，设计重点应放在监控中心的防雷与接地设计。

6.11.1 建于山区、旷野的安全防范系统，或前端设备装于塔顶，或电缆端高于附近建筑物的安全防范系统，一般需设置接闪器等装置。接闪杆宜采用热浸镀锌圆钢或钢管制成，其直径应符合表2的规定，钢管壁厚不小于2.5mm。

表2 接闪杆的直径

材料规格 针长、部位	圆钢直径（mm）	钢管直径（mm）
1m以下	≥12	≥20
1m～2m	≥16	≥25
烟囱顶上	≥20	≥40

6.11.2 安全防范系统设备由交流配电系统供电时，从建筑物内总配电柜（箱）开始引出的配电线路必须采用TN-S系统的接地形式。

6.11.3 防雷接地与交流工作接地、直流工作接地、安全保护接地共用一组接地装置时，接地装置的接地电阻值必须按接入设备中要求的最小值确定。

6.11.4 置于户外摄像机的输出视频接口（光纤除外）设置视频信号线路浪涌保护器，控制信号接口设置信号线路浪涌保护器，供电线路设置电源线路浪涌保护器。

安全防范系统线路进出建筑物LPZ0A或LPZ0B与LPZ1边界处，设置适配的线路浪涌保护器。

6.11.7 视频信号线屏蔽层单端接地，钢管两端接地。

6.12 供 电 设 计

6.12.1 现行国家标准《安全防范供电技术要求》GB/T 15408—2011中图7描述的安全防范供电系统的构成示意图如下：

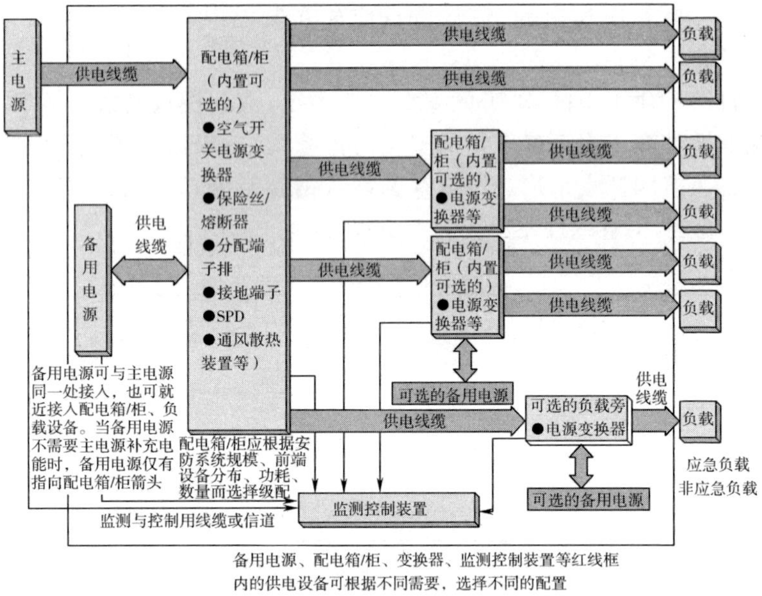

图 7　安全防范系统供电系统构成示意图

6.12.2　本条对工作现场供电状况调查和用电功耗测算做了规定。

2　这里应注意不同专业，特别是电气设计专业和安防行业中对用电负荷、主电源和备用电源、应急负载等概念上的不同表述，做好沟通工作。

6.12.3　本条对主电源规划设计做了规定。

2　主电源是指支持安全防范系统或设备全功能工作的电能来源。主电源通常来自安全防范系统外，也可以由安全防范系统自备。系统主电源包括监控中心主电源和前端设备主电源等。主电源可以是以下形式之一或组合，或其他类型：

(1)本地电力网(一般为市电网)(通常为 AC380V/220V 50Hz)；

(2)原电池或燃料电池(用于微功耗系统或移动设备的供电)；

(3)再生能源如光伏发电装置、风力发电装置。

普通风险单位或部位宜按照现行行业标准《民用建筑电气设计规范》JGJ 16—2008 规定的二级负荷(含)以上的负荷进行主电源配置。当二级负荷(含)以上的负荷配置中含有外配 UPS(不间断电源)作为主电源，且市电网与该 UPS 的切换满足现行国家标准《安全防范系统供电技术要求》GB/T 15408—2011 的第 5.4.4 条的要求时，可适当降低供电系统的备用电源的配置(安全可靠性与建设配置经济性的综合平衡)。

4 本款对市电网接入端的指标做了规定。

3)这里表达的断电持续时间是指市电网中的双路或更多路供电时可能存在的切换或其他原因的电压跌落情形。这不是安全防范系统或设备的主电源和备用电源的切换要求。

6.12.4 本条对备用电源和供电保障规划设计做了规定。

1 安全防范系统或设备的备用电源是指当主电源出现性能下降或故障、断电时，用来维持安全防范系统或设备必要工作所需的电源。

备用电源可以是以下形式之一或组合，或其他类型：

(1)UPS，或蓄电池，前者对应输出为交流电，后者为直接输出的直流电；

(2)超级电容；

(3)发电机/发电机组。

应急负载是指安全防范系统中，为在紧急情况下能够持续工作，供电需要连续保障的负载。在安全防范系统中有些关键的设备属于应急负载，例如核心传输设备、视频存储设备等。根据应急负载的分布和抗破坏能力的要求，选择适当的供电保障方式。当安全防范系统要求增强供电系统自我防护能力时，宜选择具有互为热备、多重来源的主电源，备用电源宜多级本地配置。

备用电源是提高电子防护系统安全等级的前提之一。

2 在现行国家标准《安全防范系统供电技术要求》GB/T

15408—2011 中规定：

“主电源、备用电源互为切换的要求如下：

(1)主电源切换到备用电源时，主电源的输出跌落到输出电压标称值的 80%时到备用电源动作恢复输出电压标称值 90%以上时的切换时间宜不长于 10ms。若负载蓄能续流能力强，或间歇工作，其切换时间宜不超过 2s。当备用电源为发电机/发电机组，电源切换时应有保证连续供电的其他措施。

(2)采用独立供电模式工作的设备，其主电源如电池需要更换时，应有保持原有安全防范系统防护能力或对防护目标进行安全加固或转移的措施。

(3)市电网作为主电源恢复正常供电时，备用电源即自动退出供电，无切换时间。

(4)主电源与备用电源的切换动作不应产生明显的电磁骚扰。”

3 本款是强制性条文，必须严格执行。断电开启设备的供电需要特别的重视，以避免断电产生的防护疏漏，执行装置(锁闭阻挡装置等)对应急供电的可靠性要求更高。

6.12.5 本条条文说明如下：

2 安全防范系统的电能输送可以采用有线方式或无线方式。供电线缆通常独立于信号线缆，特殊情况可以采用信号、供电共用线缆方式，如 POE(Power Over Ethernet)。POE 不宜用于对固定安装设备或大功率或远距离的供电。

按照现行国家标准《安全防范系统供电技术要求》GB/T 15408—2011 的规定，供电线缆的路由设计要求如下：

(1)根据负载的分布情况，合理确定各级配电箱/柜的位置布局；当主电源采用市电网供电时，还应遵循同建筑体内同区域同相电原则确定配电箱/柜的上级电源来源。

(2)室内供电线缆宜由上级配电箱/柜或本地配电箱/柜以短程线段放射敷设到下级配电箱或安全防范设备。供电线缆不宜长距离沿建筑物外墙敷设。

(3)室外供电电缆宜采用地下直埋或地下排管方式敷设。

供电设备和供电线缆配置实体防护措施，是提升电子防护系统安全等级的基本前提之一。

6.12.7 本条条文说明如下：

3 在确保系统供电安全的前提下，按照绿色节能环保的理念，努力提升供电设备等能效比。

6.13 信号传输设计

6.13.1 本条对传输方式的选择做了规定。

1 有线传输包括专线、虚拟专用网、公共电话网等传输模式。无线传输包括无线专网、无线局域网、数字微波、卫星、公共移动数据网等传输模式。

4 本款是强制性条文，必须严格执行。高风险保护对象安全防范工程的信息流的安全性将直接关系到系统的正常运行和效能发挥。采用专用传输网络可最大程度降低通过信息网络的隐蔽式外部攻击，防止无形的窃听、窥视、改写等破坏，防止有形的盗窃、非法拷贝等犯罪。

6.13.2 本条对传输线缆的选择做了规定。

1 本款条文说明如下：

(1)安全防范系统传输线缆根据传输信号的不同可分为传输电缆、电源电缆和光缆，主要传输报警、模拟视频、数字视频、模拟音频、控制、网络数据、开关量等信号。

(2)安防线缆标记由安防线缆、型号、燃烧特性、耐环境特性、线缆规格等代码组成。

(3)综合考虑环境是否存在有害物质、干扰源等因素，电缆防护层适合使用要求。

3 本款对报警信号传输电缆的选择做了规定。

1)当和低压供电共缆传输时，导体截面积需要满足探测器电源供电的要求。

2)入侵探测器的入侵报警信号和防拆报警信号可选择一根四芯电缆共缆分别传输,当与电源共缆传输时,通常选择六芯电缆。

4 本款对复合视频信号传输电缆的选择做了规定。

2)视频信号衰减不超过-3dB时可保证图像信息基本不丢失,同时根据同轴电缆6MHz频点的衰减指标计算。

室外线路选用规格为AFX-SYY-75-9的聚乙烯外套同轴电缆。室内距离不超过500m时,选用规格为AFX-SYV-75-7的防火聚氯乙烯外套同轴电缆。终端机房设备间距离较短的连接线,选用规格为AFX-SYV-75-3或AFX-SYV-75-5,且具有密编铜网外导体的同轴电缆。

5 在无信号放大情况,SD-SDI数字视频信号线缆传输距离不大于160m。HD-SDI数字视频信号线缆传输距离不大于80m。3G-SDI数字视频信号线缆传输距离不大于60m。DVI数字视频信号线缆传输距离不超过8m。HDMI数字视频信号线缆传输距离不超过15m。

6 以平衡方式传输音频信号,采用AF-XVSY或AF-XVS-YP系列双绞线。以非平衡方式传输音频信号,采用AF-SYV或AF-SYWV系列同轴电缆。

7 现行行业标准《安防线缆应用技术要求》GA/T 1406—2017就信号波特率与传输距离的关系、总线结构与传输距离的关系分别做了要求。综合信号波特率、传输距离和系统性能要求等参数后选择确定控制信号传输电缆。

8 现行行业标准《安防线缆应用技术要求》GA/T 1406—2017对网络数据的传输速率、传输带宽与电缆规格对应关系做了要求。

现行国家标准《综合布线系统工程设计规范》GB 50311—2016要求综合布线系统用于视频监控、出入口控制、停车库(场)

管理等系统进行信息传输和应用时，根据传输带宽与速率、传输距离、设备接口类型、屏蔽与非屏蔽、以太网供电及实际承载电流功耗等因素选择网络数据信号传输电缆。

9 电缆载流量是指电缆线路在输送电能时所通过的电流量，在热稳定条件下，当电缆导体达到长期允许工作温度时的电缆载流量称为电缆长期允许载流量，现行行业标准《安防线缆应用技术要求》GA/T 1406—2017 就电缆长期允许载流量做了要求。

11 本款对光缆的选择做了规定。

1)通常情况下，一般线缆到达安装准确位置后留有不小于 1m 的余量，也可根据实际情况，留出接线的准确长度，例如 200mm。

3)通过选择合适的光缆类型和保护层，实现光缆在应用中免受外界杂质和水分的侵入，以及防止外力直接损坏。现行行业标准《安防线缆应用技术要求》GA/T 1406—2017 就不同敷设方式和使用环境下光缆类型和保护层的选择进行了要求。

6.13.3 本条对传输设备选型做了规定。

2 本款为强制性条文，必须严格执行。为加强无线电管理，维护空中电波秩序，《中华人民共和国无线电管理条例》《中华人民共和国无线电管制规定》《中华人民共和国无线电频率划分规定》等相关法律就无线传输方式中采用的发射、接收装置做了要求。

3 本款条文说明如下：

(1)我国的标清视频系统采用 PAL 进行模拟信号传输，其优点是对相位偏差不敏感，并在传输中受多径接收而出现重影彩色的影响较小。黑白电视基带信号在 5MHz 时的不平坦度不小于 3dB 处；彩色电视基带信号在 5.5MHz 时的不平坦度不小于 3dB 处，加装电缆均衡器。黑白电视基带信号在 5MHz 时的不平坦度不小于 6dB 处；彩色电视基带信号在 5.5MHz 时的不平坦度不小于 6dB 处，加装电缆放大器。

(2)SD-SDI 线缆传输距离超过 160m 时，HD-SDI 线缆传输距离超过 80m 时，3G-SDI 线缆传输距离超过 60m 时，DVI 线缆传输距离超过 8m 时，HDMI 线缆传输距离超过 15m 时，加装中继器或光信号收发装置。

(3)射频电缆传输，摄像机在传输干线某处相对集中时，采用混合器。摄像机分散在传输干线的沿途时，选用定向耦合器。控制信号传输距离较远，到达终端已不能满足接收电平要求时，加装中继器。

(4)超出传输范围的控制、报警、音频等传输设备采用光信号发射装置或增加信号放大补偿装置。

6.13.4 本条对布线设计做了规定。

1 现行国家标准《综合布线系统工程设计规范》GB 50311—2016 规范了新建、扩建、改建建筑与建筑群综合布线系统的工程设计。要求各类建(构)筑物安全防范工程的综合布线需综合信息网络系统、建筑设备系统等进行规范的统筹规划。

2 本款对非网络布线系统的路由设计做了规定。

2)当线路附近有强电磁场干扰时，电缆应在金属管内穿过，并埋入地下。当必须架空敷设时，采取防干扰措施。

当无法避开恶劣环境条件或易使管道损伤的地段时，采用防腐型线缆或采取防止杂散电流腐蚀线缆的措施，金属管(槽)根据工程环境要求做镀锌或其他防腐处理。

5)通过两条不同路径的物理链路连接不相邻监控中心值守区域与设备区的系统设备，两条路径采用冗余备份方式工作，实现任何一条链路的物理路由中断，不影响系统的正常工作。

其中一路采用不与其他系统共管(槽)的独立路由，可更大程度的降低外部因素对不相邻监控中心值守区域与设备区链路的信号干扰、异常破坏，确保链路可靠，提升系统运行稳定性。

4 本款是强制性条文，必须严格执行。这是针对监控中心传输线缆强化防护的措施要求，以避免被轻易破坏或异常损坏，而导致安全防范系统的中心设备无法正常工作。

监控中心作为安防系统自身最重要的部位(禁区),由于安防系统设备的IT化发展,愈来愈多的监控中心将其值守区与其设备区分离设置,两个区域间的信号传输链路往往会经由未防护或防护等级低的区域。对传输线缆采取抗拉伸、抗弯折强度不低于镀锌钢管的封闭保护措施,可有效降低传输线缆的信号干扰、物理损坏或人为破坏,提升系统运行稳定性和安全性。

5 本款是强制性条文,必须严格执行。对路由采取安全性防护措施是必不可少的,高风险区域路由经过低风险区域时将面临人为破坏、异常损坏等方面的安全威胁和风险,有必要根据现场情况对应采取实体防护、防信息泄露、安装视频监控、增加人力防范等措施。

6 本款是强制性条文,必须严格执行。本条强调应根据不同受控区安全等级差异,采取相应的自我保护措施要求和配置,出入口执行部分的输入线缆,采用抗拉伸、抗弯折强度不低于镀锌钢管的封闭保护措施,以确保执行装置的可靠安全工作。

7 本款条文说明如下:

(1)电缆垂直排列或倾斜坡度超过45°时的每一个支架上;槽盒垂直安装的,内部敷设线缆的顶端和自上而下每间隔1.5m处。

(2)电缆水平排列或倾斜坡度不超过45°时,在每隔1个～2个支架上;槽盒水平安装的,内部敷设线缆的首、尾、转弯处及每间隔2m～3m。

(3)在引入接线盒及分线箱前150mm～300mm处。

(4)进出槽盒部位和在槽盒内转弯处。

(5)根据线缆的类别、数量、缆径、线缆芯数分束绑扎。绑扎间距小于1.5m,间距均匀,避免绑扎过紧或使线缆受到挤压。

8 现行国家标准《综合布线系统工程设计规范》GB 50311—2016就线缆布放在导管与槽盒内的截面利用率做了要求。

6.13.5 本条条文说明如下:

1 线缆管(槽)的敷设需要综合考虑温度、湿度、腐蚀性、污染以及自身耐水性、耐火性、承重、抗挠、抗冲击等因素对布线的影响。现行行业标准《安防线缆应用技术要求》GA/T 1406—2017就线缆管(槽)和过线盒的安装做了要求,现行国家标准《综合布线系统工程设计规范》GB 50311—2016 就管(槽)材质、管(槽)敷设、电气连接、防火阻燃、缝隙补偿等做了要求。

2 《地沟及盖板》02J311、《电缆敷设》12D101 等图集对线缆沟材料、盖板、施工工艺等做了要求。确保电缆沟可靠、顺畅、排水良好。

3 本款条文说明如下:

(1)现行行业标准《民用建筑电气设计规范》JGJ 16—2008 就线缆井位置、数量和大小和线缆井内电气线路做了要求。

(2)《电力电缆井设计与安装》07SD101-8 要求线缆井一般布置在绿化带内,由于条件限制需要布置在道路附近时,尽量布置在人行道范围内。线缆井顶部距地面不小于 0.7m,在人行道路下面时不小于 0.5m。杆旁、控制箱旁、电缆拐弯处或直线段不大于100m 处设置线缆井。

4 现行国家标准《通信线路工程设计规范》GB 51158—2015就不同场合线缆杆的杆距、杆强和与其他设施的距离等做了要求。现行国家标准《建筑物防雷设计规范》GB 50057—2010 规范就接地电阻做了要求。现行行业标准《架空光(电)缆通信杆路工程设计规范》YD 5148—2007 就不同气候条件下的线杆规格做了要求。

5 现行行业标准《通信系统用室外机柜安装设计规定》YD/T 5186—2000 就机柜的安装位置、配置要求、供电选择、防雷接地等做了要求。设备箱根据需要设置防水、防盗、散热等功能。

6.14 监控中心设计

安全防范系统的监控中心,是系统的神经中枢和指挥中心,除了监控室自身的安全防范要求外，本标准对监控室的选址、布局和环境等问题也提出了要求，旨在提醒设计人员要贯彻“以人为本”的原则，按照人机工程学的原理和环保的有关要求，为值班人员创造一个安全、舒适、方便的工作环境，以提高工作效率，避免或减少由于人的疲劳导致的误操作或误判断而造成系统的误报、漏报或其他事故。

6.14.1 本条条文说明如下：

3 安防系统的规模取决于需要管理的子系统数量、视频图像接入中心的数量和同时需要监视显示的画面屏幕数量以及值守终端数量等因素，辅助设施包括休息室、卫生间等。

6.14.2 本条对监控中心的自身防护做了规定。

1 本款是强制性条文，必须严格执行。这是监控中心进行自我保护和指挥调度其他防范力量的重要措施。监控中心是安全防范系统的中央控制室，必须保护其自身安全，如封闭措施等，并能实现紧急报警和日常内外通讯。根据安全防范管理需要，必要时要向上一级接处警中心报警，监控中心必须要预留出相应的联网接口。

2 本款是强制性条文，必须严格执行。监控中心的出入口管控是自身防护的重点，出入口安装出入口控制装置用于对进出人员实施权限管理；出入口处要设置视频监控装置，目的是对出入或接近出入口人员的情况进行监视、记录。

3 本款是强制性条文，必须严格执行。监控中心内部的值守区和设备区也应是受监控区域，因此应设置视频监控装置，对监控中心内部人员的活动状况进行监视、记录。

4 本款是强制性条文，必须严格执行。监控中心是出入口控制系统网络与数据服务的汇集点，必须对放置在监控中心的出入口控制系统管理主机、网络接口设备、网络线缆等采取物理隔离和(或)视频监控等强化保护措施，否则，监控中心的出入口控制系统受到破坏会影响到其他受控区的安全。

6.14.3 本条对监控中心的环境做了规定。

2 本款是强制性条文,必须严格执行。本款对监控中心的疏散门提出了要求,目的是保证监控中心内部人员生命安全优先,在紧急情况下的快速疏散。所有要求与消防的规定保持了一致。

7 工程施工

7.1 施工准备

7.1.1 施工组织方案是用来指导施工项目全过程各项活动的技术、经济和组织的综合性文件，是施工技术与施工项目管理有机结合的产物。依照施工组织方案进行施工，能有效保证施工活动有序、高效、科学合理地进行，以及保障施工的安全性。

施工组织方案的内容要结合工程对象的实际特点、施工条件和技术水平进行综合考虑，一般包括编制依据、工程概况、施工准备工作、施工管理组织机构、施工部署、施工现场平面布置与管理、施工进度计划、资源需求计划、工程质量保证措施、安全生产保证措施、文明施工、环境保护保证措施、施工方法、其他施工注意事项等内容。

7.2 工程施工

7.2.1 在施工过程中，需局部调整和变更时填写的更改审核单由建设单位或监理单位提供，经设计单位、施工单位、监理单位相关责任人会签批准。

更改审核单概括调整或更改情况，包括更改内容、更改原因、更改前后状态描述、申请单位、审核单位、分发单位、更改实施日期等。

7.2.2 在施工过程中，根据施工要求对隐蔽工程进行随工记录，并形成隐蔽工程随工验收单。隐蔽工程随工验收单由建设单位或监理单位提供，经建设单位/总包单位、设计单位、施工单位、监理单位会签。

隐蔽工程随工验收单概括隐蔽工程情况，包括隐蔽工程的检查内容、检查结果，并综合安装质量的检查结果，形成验收意见。

涉及管线敷设的隐蔽工程随工验收单包括管道排列、走向、弯曲处理、固定方式，管道搭铁、接地，管口安放护圈标识，接线盒及桥架加盖，线缆对管道及线间绝缘电阻，线缆接头处理等内容。

7.2.4 **1** 本款条文说明如下：

在线缆敷设前，通过观察或仪器测试线缆的导通性能（开路、短路等故障）以判断是否符合敷设要求。

数据线、电源线、音视频线用万用表测试通断；光缆采用目测方式，确保外观无折损；其他线缆用相应专业测试仪表测试通断，检查合格后方可继续施工。

2 本款条文说明如下：

（1）线缆布放时，在线缆卷轴处、过线盒、管口处等部位，安排布线施工人员边送线、边收线，逐段敷设，避免强力拖拽，线缆拉伸时不要超过规定的线缆拉伸张力。

（2）避免使线缆扎线带过紧而压缩线缆。压力过大会使线缆内部的绞线变形，影响其性能，一般会使回波损耗处于不合格状态。

（3）布放线缆的牵引端头做好技术处理，保证线缆的每个元件受到均衡的牵引力。

3 本款是强制性条文，必须严格执行。

1）根据工程设计文件系统图、施工图等要求编制标识、标签，并具有唯一性。现行行业标准《安防线缆应用技术要求》GA/T 1406—2017 对线缆编号标识规则做了详细规定。

2）标识与使用环境相适应，易查看，字迹清晰，不易脱落、褪色，附着力强且耐磨损。标签准确反映线缆或井孔的类别、属性、连接关系等。

5 本款是强制性条文，必须严格执行。线缆的弯曲半径过小，会影响、改变线缆的传输特性，如：阻抗变化、串扰增加、回波损耗减小等。线缆的过度弯曲，可能造成线缆永久性损伤、折断。

现行国家标准《综合布线系统工程设计规范》GB 50311—2016 对不同类型线缆的最小弯曲半径进行了更细化的要求。

12 本款是强制性条文,必须严格执行。当出现易燃易爆环境时,要根据现行国家标准《危险化学品重大危险源辨识》GB 18218,进行危险源辨识,根据危险源的类别,结合其相应行业的相关标准进行设计、施工,现有的相关标准主要有现行国家标准《爆炸危险环境电力装置设计规范》GB 50058、《电气装置安装工程爆炸和火灾危险环境电气装置施工及验收规范》GB 50257、《火炸药生产厂房设计规范》GB 51009、《地下及覆土火药炸药仓库设计安全规范》GB 50154、《海洋石油平台电气设备防护、防爆等级要求》CB/T 4397、《爆炸危险场所防爆安全导则》GB/T 29304、《爆炸性环境　第1部分:设备　通用要求》GB 3836.1系列标准等。

7.2.5 本条对设备安装做了规定。

1 本款条文说明如下:

(1)根据深化设计文件、设备清单、施工图纸、施工组织方案等进行设备规格型号检查,核对,确保设备一致性;

(2)设备安装前通电测试、提前发现问题,避免重复返工;

(3)按图施工,安装安全、可靠、平稳、牢固,发现威胁人身安全,影响系统使用或环境协调的,及时提出并优化方案。

2 本款条文说明如下:

2)现场加工制作的非标人工屏障、设备、装置等实体防护设备,按照深化设计文件和施工图纸,结合产品说明书、安装工艺等要求进行安装。

3 本款条文说明如下:

4)采用隐蔽安装方式的紧急按钮主要适用于防抢、防盗等目的,安装位置要便于用户操作;防火、防灾等为目的紧急按钮,安装位置便于操作,并设置明显标识。

5 本款条文说明如下:

1)常用识读设备依据密钥信息的不同可分为键盘、磁卡识读设备、条码识读设备、非接触读卡器和指纹识读设备、掌形识读设备、虹膜识读设备、人脸识别设备等。

①键盘、磁卡识读、指纹、掌形识读设备用于人员通道门，安装应适合人手配合操作。

②虹膜识读设备用于人员通道门，安装应适合人眼部配合操作。

③人脸识读设备安装位置应便于最大面积、最小失真地获得人脸正面图像。

④用于车辆出入口的超远距离有源读卡器，应根据现场实际情况选择安装位置，避免尾随车辆先读卡。

3）控制器与出门按钮、识读装置的走线和防护措施的合理性直接影响到系统的安全，应采取出门按钮与识读装置错位安装等办法，同时考虑不同类型门和锁具安装的配套性和差异性，可防止通过破坏或拆卸受控区外的识读装置，经由识读装置过线孔触及出门按钮信号线开门，以提升系统安全性。

图 8 为出入口控制设备的安装管线参考，图 9 为双扇门双向控制玻璃门出入口控制设备的安装方式参考。

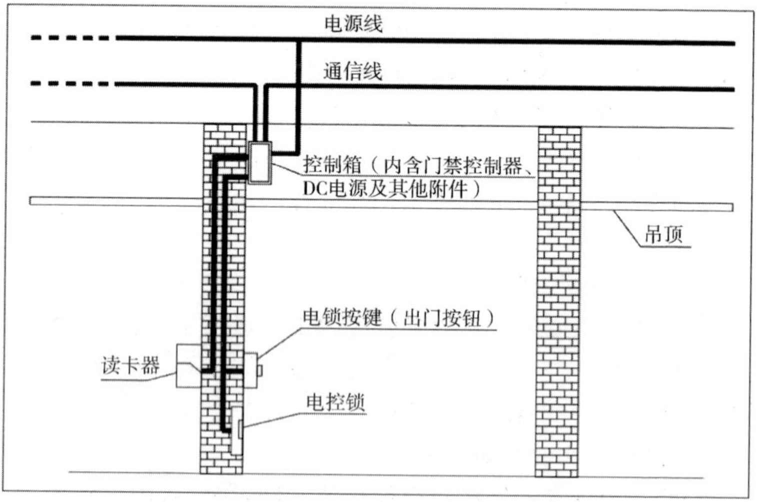

图 8　出入口控制设备安装管线示意图

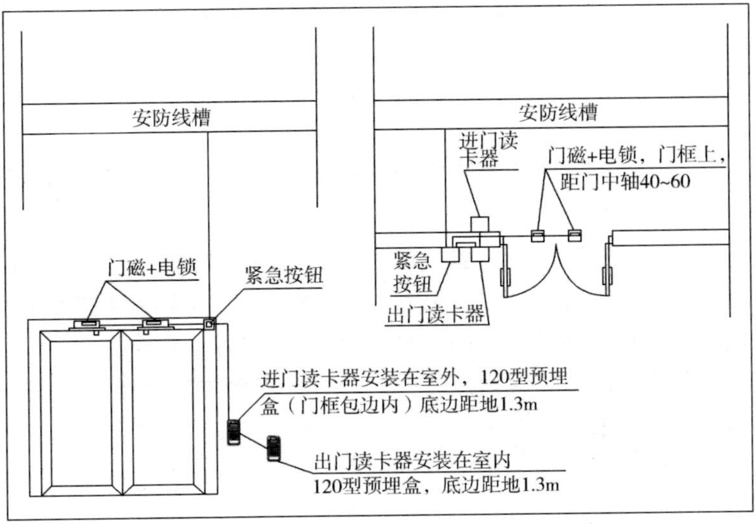

图 9　双扇门双向控制玻璃门出入口控制设备安装示意图

4)锁具应合理安装并有效防护，确保在非受控区或低受控区一侧不能通过简单螺丝拆卸、线缆剪断、人为破坏开门，保证系统的安全可靠。双向读卡控制出入口时，锁具也不能在受控区内进行简单的螺丝拆卸等。

7.2.8　本条对线缆接续连接做了规定。

2　本款条文说明如下：

(1)电缆接续避免损伤芯线。建议采用焊接方式进行接续并做好绝缘、防水、防腐蚀处理。线缆接续或分支在接线箱(盒)内进行，不得将接头留在穿线管孔或线槽内。

(2)各类跳接电缆和连接器件间接触应良好，接线无误，标识齐全。不同类型电缆之间必须经过符合要求的接线盒或连接器进行连接。

(3)多芯电缆的芯线应正确接续，接续点相互错位，焊接牢固光滑。

(4)RS-485信号电缆采用首尾结构方式依次相连，主设备置于主干线路的一端，设备尾线与主干线采用焊接方式端接。

7.3 系统调试

7.3.1 系统调试方案是用来指导调试全过程的综合性文件，依据方案进行调试能有效保证调试科学、有序、高效开展。

依据深化设计文件、施工组织方案等资料，并根据现场情况、技术力量及装备情况等综合编制系统调试方案，系统调试方案一般包括组织、计划、流程、功能/性能目标等内容。

7.3.2 根据调试方案，合理进行子系统、安全防范管理平台、系统集成等分层级的调试，实现功能，优化性能。对调试过程进行如实记录，调试记录包括调试时间、调试对象、调试人员、调试方案和调试结论等内容。

7.3.3 根据调试记录如实填写系统调试报告，系统调试报告概括工程基本信息和系统调试信息，并记录调试遗留问题。经调试人员、建设单位、施工单位和监理单位等会签确认后，系统进入试运行阶段。

7.3.4 本条对系统调试准备做了规定。

5 网络为基础的安全防范系统突破了时间、地域的限制，省去了传统布线和线路维护费用，降低了成本；用户在授权的情况下，就可以不受地域限制随时按需监控，受到了广泛关注。

但系统对网络有着很大的依赖性。往往存在庞大系统数据和信号流量与相对过小的可用带宽的矛盾，使得我们有必要对网络、系统的配置进行合理规划，以便最大程度解决图像质量、网络速度、传输时延、网络安全等问题，充分发挥网络和系统的最优效能。

对于规模较大、较为复杂的系统，建议根据系统设计要求，在系统调试之前，通过安全防范管理平台、软件对系统相关资源进行预配置，并进行功能验证工作，以便提前发现问题、降低系统风险、提升系统调试的效率。

7.3.5 本条对系统调试做了规定。

4 本款条文说明如下。

7)现行国家标准《民用闭路监视电视系统工程技术规范》GB 50198—2011 分别就模拟和数字的图像质量评价做了明确要求。模拟图像分别就随机信噪比、单频干扰、电源干扰、脉冲干扰进行主观评价,图像质量对应表 5.4.1-1 五级损伤制评分分级要求。数字图像分别就马赛克效应、边缘处理、颜色平滑度、画面真实性、快速运动图像处理、低照度环境图像质量处理进行主观评价,图像质量对应表 5.4.3-1 五级损伤制评分分级要求。

5 本款条文说明如下。

2)根据物理特性或外观形态的不同,一般包含磁条、条码、ID、IC、RFID 和 NFC 等电子卡/标签凭证类型;根据系统定义的不同,一般可设置为通用、定时、失效、黑名单、加密、防劫持等卡/标签凭证类型。

3)根据人体固有生理特性的不同,一般包含指纹、掌形、虹膜、声控、人脸及其复合技术等不同类型生物识别技术装置。

8 工程监理

8.1 一般规定

8.1.2 组织协调是指协调工程建设相关方的关系，工程建设相关方包括建设单位、设计单位、施工单位等。

8.1.3 监理单位是指具有独立法人资格和相应等级资质，为建设单位提供安全防范工程监理服务的单位。

8.1.4 监理单位可根据建设单位的要求或者监理项目的规模设置总监理工程师代表，总监理工程师代表辅助总监理工程师履行对安全防范工程的监理职责。

总监理工程师由取得注册监理工程师资格的人员担任，总监理工程师代表可由具有中级及以上专业技术职称，5 年及以上安全防范工程实践经验，并经监理业务培训合格的监理人员担任；专业监理工程师可由具有中级及以上专业技术职称，3 年及以上安全防范工程实践经验，并经监理业务培训合格的监理人员担任。

8.1.5 本条对监理规划和监理细则做了规定。

(1)监理规划主要内容包括：

①工程概况：包括工程名称、地点、规模、建设项目主要内容、特点及各相关单位信息；

②监理范围和目标：对监理范围、工作内容、工期控制目标、工程质量控制目标、工程造价控制目标等做出明确阐述；

③工程进度和质量：结合工程具体内容和建设特点，对工程总体进度目标按照工序节点和阶段性目标任务进行详细分解，应明确控制程序、控制要点、控制风险的措施；

④合同及其他事项管理：包括对工程变更、索赔等事项的管理程序和要点，合同争议及协调办法；

⑤项目监理机构：结合工程具体情况，确定监理机构组织形式、人员构成、职责分工，各类人员进场计划安排；

⑥监理工作管理制度：结合工程内容和特点，编制信息和资料管理、监理会议、监理工作报告等监理工作制度。

(2)监理细则主要内容包括：

①安全防范工程系统组成的基本描述、工程应用技术与施工特点；

②监理工作包括设计与施工方案变更、产品规格与价格变更、产品进场检验、隐蔽工程及各施工阶段的验收等主要工作，工作中应明确各时序节点的要求及实施主体与责任；

③监理工作的控制要点及目标：包括施工阶段、初步验收与试运行阶段的各项重要节点内容；

④监理方法及措施包括各阶段中的重要节点所采取的方法和措施。

8.1.6 整改通知通过《安全防范工程监理通知单》(参见表3)方式下达。不合格项处置记录应填写《安全防范工程不合格项处置记录》(参见表4)。

表3 安全防范工程监理通知单

监理项目文号：

工程名称：
致(施工单位)： 事由：
内容：
项目监理机构及监理工程师(签章) 年 月 日
监理单位总监理工程师(签章) 年 月 日

注：发送相关单位各一份，并注明发送各单位名称。

表 4　安全防范工程不合格项处置记录

监理项目文号：

<table>
<tr><td colspan="2">工程名称：</td></tr>
<tr><td colspan="2">不合格项发生部位与原因：
致(施工单位)：
由于以下情况，使你单位在　　　　　　　　　　　　中发生，
严重□ / 一般□
不合格，请及时采取措施予以整改，并在整改完成后，报予我方。
具体情况：

监理工程师(签字)　　　　　　　　　　　　年　月　日</td></tr>
<tr><td colspan="2">不合格项整改措施：</td></tr>
<tr><td>施工单位整改责任人(签字)

年　月　日</td><td>施工单位项目经理(签字)

年　月　日</td></tr>
<tr><td colspan="2">不合格项整改结果：

致(监理单位)：
根据你方要求，我方已经完成整改，请予以验收。
施工单位项目经理(签字)
年　月　日</td></tr>
<tr><td colspan="2">整改结论：　　　□同意验收　　　□继续整改

项目监理机构(盖章)　　　　　监理工程师(签字)
年　月　日</td></tr>
</table>

8.2 施工准备的监理

8.2.1 项目监理机构的审核工作包括：

（1）施工单位资质的有效性。

（2）专职管理人员和特种作业人员、相关专业技术人员的资格证、上岗证是否符合国家相关规定，在工程实施过程中随时监督检查，发现问题及时签发《安全防范工程监理通知单》（参见表3）责令整改。

（3）特殊行业施工许可证的有效性。

（4）对在国家行政许可管理范围内的工程项目，是否具有政府有关部门已批准的施工许可证或设计方案报备手续。

8.2.4 在施工准备过程中要组织项目管理机构、施工单位召开施工安全会议，监督施工单位在施工前对施工人员进行安全培训，并做好培训记录和存档。需组织协调多方单位时，也可采用《安全防范工程监理工作联系单》（参见表5）方式进行。

表5 安全防范工程监理工作联系单

监理项目文号：

工程名称：
致（单位）： 事由：
内容：
发文单位及负责人（签章） 年 月 日
收文单位及负责人（签章） 年 月 日

注：发送相关单位各一份，并注明发送各单位名称。

8.2.5 设备器材的核检可包括：

(1)主要设备器材由具有相应资质能力的检测机构出具的有效检测合格报告；

(2)列入国家强制性产品认证目录的产品的有效证明文件；

(3)设备器材包装、说明书、产品出厂检验合格证、配件、质量保证书、安装使用维护说明书，进口产品还应提供产地证明、商检证明和安装使用维护中文说明书；

(4)设备器材的外包装信息与设备器材信息的一致性；

(5)进场安装的线缆及配线设备的型号、规格、数量、材质；

(6)线缆和配线设备的外观。

8.3 工程施工的监理

8.3.1 项目监理机构对施工准备工作进行监督检查后，达到开工条件的由总监理工程师签发《安全防范工程开工通知书》(参见表 6)。

表 6 安全防范工程开工通知书

监理项目文号：

工程名称：
致(施工单位)： 经审核，我方认为你方已经完成了工程施工前的各项准备工作，满足了开工条件，同意你方于　　年　　月　　日　　时起开始进场施工。工程将按照建设单位批准的工程系统设计方案和施工组织设计执行。 并做好以下工作：   项目监理机构(盖章) 总监理工程师(签字) 签发日期：　　　　年　　月　　日

8.3.2 工程变更应符合本标准第7.2.1条要求，监督相关单位对工程变更的相关协议文件及时记录、归档，为以后的竣工图纸做准备。

8.3.3 项目监理机构的旁站工作要填写《安全防范工程旁站记录单》(参见表7)。

表7 安全防范工程旁站记录单

监理项目文号：

工程名称：
旁站监理部位或工序名称：
旁站监理时间： 年 月 日 时 分至 年 月 日 时 分
施工情况：
监理情况：
发现问题：
处理措施及意见：
备注：
施工单位及项目经理(签章)： 年 月 日 项目监理机构及监理工程师(签章)： 年 月 日

8.3.4 隐蔽工程的随工验收填写《安全防范工程隐蔽工程随工验收单》(参见表 8)。

表 8 安全防范工程隐蔽工程随工验收单

监理项目文号：

工程名称：	
验收区域及部位：	
隐蔽外部材料及覆盖方式：	
隐蔽部位设备管线内容：	
致(监理单位)： 我单位已完成了　　　　　　　　工作，经我方自检合格，现报上该工程报验申请表，请予以审查和验收。 附件：	施工单位(盖章) 项目经理(签字) 报验日期：　年　月　日
验收意见： 项目监理机构(盖章)	总监理工程师或监理工程师(签字) 审查日期：　年　月　日

8.4 系统调试的监理

8.4.1 系统调试方案的确认主要包括:设备综合参数的设置计划、系统的功能性能的调试计划、业务操作流程的设计规划等,同时还要注重系统调试目标与系统设计目标的一致性以及调试进度计划与项目总体进度计划的一致性。

8.4.3 系统调试是一个动态过程,在调试过程中,会随着调试的效果对初始化数据进行动态调整。在系统调试后期,项目监理机构可组织项目管理机构、施工单位,对系统的初始化数据需求进行确认,并按照需求对施工单位进行监督。

8.5 工程初步验收与系统试运行的监理

8.5.1 技术培训计划基本内容包括:培训内容、培训目标、培训时间安排、受训人员要求、培训考核方式等。

8.5.2 初步验收报告基本内容包括:系统概述;对照设计任务书的要求,对系统功能、效果进行检查的主观评价;对照正式设计文件对安装设备数量、型号进行核对的结果;对隐蔽工程随工验收单的复核结果等。《安全防范工程初步验收报告》参见表9。

表9 安全防范工程初步验收报告

工程名称	
建设(使用)单位	
设计、施工单位	
系统概述:	
系统功能、效果的主观评价:	

续表 9

对安装设备的数量、型号进行核对的结果：
对隐蔽工程随工验收单的复核结果：
初步验收结论：
监理单位公章
建设(使用单位)公章
设计、施工单位公章

8.5.4 试运行计划基本内容包括：试运行系统的概述、试运行系统的基本功能、试运行时间、试运行的人员安排、试运行效果预估等。

8.5.7 监理过程文件主要包括监理日志、报验申请表、停/暂停工通知书、复工通知书、开工通知书、开工申请表、工程更改单、费用索赔申请表、工程款支付申请表、工作联系单、监理通知单、设备器材进场报验单、监理抽验记录、不合格项处置记录、工期延期申请表、旁站监理记录、隐蔽验收报告、试运行记录、试运行报告、初步验收报告、工程质量评估报告、质量事故报告等。

9 工程检验

9.1 一般规定

9.1.1 工程检验是按照程序对工程的一种和多种特性进行测量、检查、试验、度量并将这些特性与规定进行对比以确定其符合性的活动，检验的基本要点包括：检验对象、检验依据、检验手段、检验数据、检验结论等；安全防范工程的检验对象为施工验收前的新建、改建、扩建系统或已交付使用且运行中的系统，在检验活动中必须对质量特性进行观察、测量、试验和判断。

9.1.2 对于每个工程，它的所属行业和系统规模、功能都不相同，工程检验项目应覆盖工程所属行业的管理和标准要求以及工程设计的主要范围，以便对系统的主体特性做出全面评价。

9.1.3 本条是强制性条文，必须严格执行。检验用仪器、仪表的准确性直接关系到检验数据的准确性和溯源性。因此要求所使用仪器设备的性能应稳定可靠，计量、检验、管理使用与检定、校准应符合国家有关法规的规定。

9.1.4 为了保证工程检验的质量和顺利实施，本条规定了检验机构的检验实施程序。检验实施程序对检验过程来说是必不可少的，特别是编制检验实施细则和检验方案尤为重要。通过审查技术文件，可使检验人员对被检验系统的情况有较全面的了解（包括系统所涉及的范围，各子系统的结构、功能、运转情况等），便于检验实施细则和检验方案的制定。在受检工程的技术文件中，对于变更文件，应是经甲乙双方确认的、盖章的有效文件。

1 资料的内容非常重要，是检验的依据，是判别的重要依据，通常包括：工程合同、深化设计文件、工程合同设备清单、工程变更文件、隐蔽工程随工验收单、初步验收报告、试运行记录、主要设备的检验报告或认证证书等。

2 开展检验工作前，应确定检验的范围，必要时需进行现场的勘察，勘察的内容应包括：工程建设情况，包括建设时间，系统构成、工程造价等；确定检验路线等；监控中心（室）情况，供电情况等；各子系统组成，涉及产品数量等；检验中需要中断的子系统的防护措施等。

检验实施细则作为检验过程的指导性文件，它应当规定检验过程的主要检验依据、检验项目、使用仪器、抽样率、人员组成、检验步骤、检验周期等主要内容。检验方案的设计非常重要，系统的特性和存在的缺陷只有通过周密的检验方案才能反映出来。实施检验时，由检验人员根据本标准的要求提出具体的实施细则和检验方案。

4 判定工程的质量的合格性是工程检验活动的目的，在获取质量特性的数据之后，与规定的要求进行比较，确定是否合格。

9.1.5 本条对抽样数量做了规定。

3 采用现行国家标准《计数抽样检验程序　第1部分：按接收质量限（AQL）检索的逐批检验抽样计划》GB/T 2828.1—2012进行抽样时，按系统设备和前端设备的类型和型号进行分别抽样，抽样母体数为各设备/类型的数量；抽样应根据产品功能、性能的不同，合理分布。对于高风险保护对象安全防范工程，可提高抽样数量或全数检验。抽出样机所需检验的项目如受检验条件制约，无法进行检验，可重新进行抽样，但应以相应的可实施的替代检验项目进行检验。

9.1.6 检验中，如有不合格项并进行了复检，在检验报告中应注明进行复检的内容及结果。复检抽样在数量不够时，应全数检验。

9.1.7 运行检验是对交付后运行一段时期的安全防范系统的功能性能进行的检验。系统运行检验通常不需要全项检验，应选择重要项目进行检验。本章下列各项表格中打“　”的项目，是运行检验的必检项目。

9.2 系统架构检验

系统架构的检验是对安防工程实际建设情况的总体把握，对系统的实际情况从配置、资源、管理、传输、安全等各方面进行总体评判。

9.4 电子防护检验

9.4.2 报警发生复位后，需要对设防、撤防状态是否正常进行确认；在很多工程中，入侵探测器的防拆报警信号线与报警信号线是并接的，在撤防状态下，系统对探测器的防拆信号不响应，这种设计或安装是不符合探测器防拆保护要求的，因此，检验系统的入侵探测器防拆报警功能时，应能在任意状态下进行。

9.4.3 不同防护要求的工程，其图像记录回放的效果、质量要求不同，因此，应根据该工程正式设计文件的要求进行检验。其他检验项目应按国家现行相关标准、工程合同、正式设计文件的要求检验。

9.5 安全性、电磁兼容性、防雷与接地检验

9.5.1 监控中心由于放置有系统控制设备、显示设备等，且监控中心需要人员长期值守，电子设备产生的电场和磁场交互变化，形成电磁辐射，电磁辐射的危害及防护工作在世界各国均高度重视，我国也对环境辐射限制制定了相应的现行国家标准《电磁环境控制限制》GB 8702—2014，对电磁环境中电场强度、磁场强度、磁感应强度、等效平面波功率密度等均作出控制限值，同时在现行环境保护行业标准《辐射环境保护管理导则-电磁辐射监测仪器与方法》HJ/T 10.2 中对电磁辐射的测量方法均做出明确规定，包括：测量仪器、测量位置、测量高度、测量时间、测量频率等，因此为保护监控中心的人身安全，对监控中心进行辐射限制的检验是非常有必要的，意义也是重大的。

9.5.3 防雷与接地检验也是系统安全性检验的重要组成部分。由于我国幅员辽阔，南北东西的气候环境、雷电环境、地质土壤环境等因素差异较大，因此雷电防护和接地施工的难度也各不相同。对安防工程的防雷接地检验应按相关标准和具体工程的设计要求，重点实施对室外前端设备的雷电防护检查和监控中心的接地设施检(查)验。

10 工程验收

10.1 验收组织

10.1.1 工程验收一般由建设单位会同相关部门组织安排。做这样的规定是为了全面贯彻执行《行政许可法》，同时也考虑到安防行业的特殊性和我国安全防范工程管理的现状。

本条所指的相关部门是泛指在行政许可框架下的行业主管部门以及在行业主管部门监督指导下的社会中介组织。

10.1.2 当工程规模较小、系统相对简单时，验收组下设的“组”可以简化，可以兼任或合并。

10.1.3 组长的职责通常包括：验收工作策划、主持验收会议，合理分配工作任务，把握验收进度。

10.1.4 技术专家是指具有5年以上安防行业从业经历和中级及以上专业技术职称，且技术水平得到业内广泛认可的技术人员。

验收组中技术专家比例不低于50%，这是基于验收性质、任务本身的要求，同时考虑到安全防范工程的特点，以有利于更全面、更科学地把握好工程的技术质量。未经检验机构检验的工程验收时，可适当增加技术专家的比例。

所谓不利于验收公正的人员如：施工单位人员、工程主要设备生产、供货单位人员以及其他需要回避的人员等。

10.1.5 本条主要强调验收组应以高度认真、负责的态度，坚持标准、严格把关。验收中如有疑问或已暴露出重大质量问题，可视答辩情况决定验收是否继续进行。

为体现验收不是目的而是手段，确保工程质量才是根本，本条强调验收通过的工程，如有质量问题仍需要落实整改；验收基本通过或不通过的工程，验收组必须明确指出存在的质量问题和整改要求。

10.2 施工验收

10.2.2 施工验收不负责审核变更内容，只负责审核变更手续的规范性。设计变更或工程洽商等需在实施过程中经建设/总包、设计、监理、施工单位四方确认。

施工验收时只负责查验隐蔽工程随工验收单的规范性，不对隐蔽工程质量进行检查和评价。隐蔽工程应由建设单位或监理单位随工验收。

10.3 技术验收

本节规定了技术验收的内容、要求与方法。技术验收主要包括以下内容：

——检查系统应达到的基本要求、主要功能与技术指标，应符合设计任务书、工程合同相关标准以及现行管理规定等相关要求；

——检查工程实施结果，即工程配置包括设备数量、型号及安装部位等是否符合深化设计文件；

——按各子系统的专业特点，检查其功能要求和技术指标，同时检查监控中心。

10.3.1 表10.3.1给出了技术验收的现场检查项目。

对于经检验机构检验合格的工程，验收组可根据工程性质、规模大小等情况确定抽样检查项目，但表10.3.1列出的带"★"的项目和检验报告中的所有不合格项必须检查，其余项目可复核工程检验报告的检验结果。没有经过工程检验的项目，技术验收应对表10.3.1列出的检查项目逐项进行现场检查。

表10.3.1列出的带"★"的检查项目共有10项，是技术验收的重点项目，实行一票否决制，应认真检查，严格把关。

10.4 资料审查

本节规定了对验收图纸资料的审查内容、要求与方法。

图纸资料的准确性主要是指标记确切、文字清楚、数据准确、图文表一致，特别是要同工程实际施工结果一致。

图纸资料的完整性主要是指所提供的资料内容要完整，成套资料要符合表10.4.1的要求。

图纸资料的规范性主要是指图样的绘制应符合现行行业标准《安全防范系统通用图形符号》GA/T 74等相关标准要求；图纸资料应按照工程建设的程序编制成套。

10.5 验收结论

验收结论是工程验收的结果。验收结论应明确并体现客观、公正、准确的原则。技术验收组、施工验收组、资料审查组应独立根据验收判据（合格率计算公式）通过打分的方式分别给出检查或审查结果，验收组根据本节的规定确定验收结论。对工程验收注重量化、力求克服随意性，是保证验收工作"客观、公正、准确"的基础。

10.5.1 当工程验收结果 K_s、K_j、K_z 均≥0.8时，表明该安全防范工程能较好地满足建设（使用）单位的实际需求，建设单位、设计单位、施工单位、监理单位在施工、技术实现、资料整理三方面的工作都做得较充分、有效，因此应判为通过。

10.5.2 当工程验收结果 K_s、K_j、K_z 均≥0.6，但有出现一项<0.8的情况时，表明该安全防范工程能基本满足建设（使用）单位的实际需求，但尚有欠缺，相关单位需要予以重视并改进。此种情况判为基本通过。

10.5.3 当工程验收结果 K_s、K_j、K_z 中出现一项<0.6时，表明该安全防范工程在施工、技术、资料在某个方面存在不能满足建设（使用）单位的实际需求。需要相关单位认真分析、排查问题的原因，并制定强有力的措施，及时完成整改。此种情况验收不能通过。

10.5.5 本条规定，验收不通过的工程不得正式交付使用，应根据验收结论提出的问题抓紧整改，整改后方可再提交验收。

10.5.6 验收通过或基本通过的工程，施工、设计单位、建设（使用）单位应根据验收结论提出的建议与要求，落实整改措施。施工单位、设计单位的整改落实后应提交书面报告并经建设（使用）单位确认。这样做，强调了整改和工程后续完善的重要性，体现了“验收是手段，保证工程质量才是目的”的验收宗旨。

11 系统运行与维护

11.1 一般规定

11.1.1 安全防范系统的运行与维护工作是为了确保系统在生命周期内持续满足安全防范管理要求，保持系统有效防范效能。一方面，随着安全防范系统应用环境和安全防范管理要求的变化，会涉及管理业务的调整和运行机制的优化等问题，如，随着保护对象环境变化，可能会增加某个风险部位的监视要求，相应警情等级会可能进行调整，这就要求根据实际情况进行警情处置人员等资源配置的变更和处置预案(流程)的优化。另一方面，由于系统和设备的使用寿命、使用环境等因素会造成系统防护效能不同程度的下降，需要通过有效的维护工作使系统和设备提高可靠性、排除隐患和故障、延长使用期限，进而达到相应阶段的防护要求。

系统维护工作应该如实反映系统工作状态，注意积累系统的运行与维护数据，为系统效能评估提供坚实基础。

11.1.2 系统运行与维护工作需要系统化工作的思路，其中一项重要内容就是运行与维护工作规划。主要可以包括以下内容：

(1)系统运行规划一般包括：

1)系统运行工作目标、工作范围、工作要求、工作团队建设要求等。

2)系统运行工作费用预算。包括值机人员工资、办公等费用，系统和设备折旧和使用所产生日常性支出费用等(如:设备用电等费用。)

(2)系统维护规划一般包括：

1)维护对象的系统组成、维护工作范围、主要工作内容和维护要求，以及工作团队建设要求等；

2）维护需要的费用预算。费用预算编制办法可参考现行行业标准《安全防范系统维护保养规范》GA 1081—2014 和《安全防范工程建设与维护保养费用预算编制办法》GA/T 70—2014 的规定。

11.1.3 考虑到许多安全防范系统建设（使用）单位具有一定的运行和维护能力，在本标准中允许建设（使用）单位自行实施对系统的运行和维护。但无论是建设（使用）单位自行实施，还是委托第三方服务商实施系统运行与维护，都应符合本章的规定。随着安全防范系统应用范围不断扩大、管理要求不断提升、运用的技术越来越复杂，对安全防范系统运行与维护也提出了越来越高的要求，完全依靠建设（使用）单位自身实施系统运行与维护的模式已难以适应。因此，基于专业化的第三方服务商实施系统运行与维护的模式已成为趋势。本章内容将对安全防范系统运行与维护的规范化起到推进和指导作用。

11.1.4 建立系统设备台账，是系统运行与维护工作的重要内容。系统设备的全生命周期管理是保证设备及时保养、更换，持续发挥系统效能的重要方法。

建设（使用）单位应根据国家相关财税规定与固定资产有关的经济利益的预期实现方式，合理选择系统和设备的使用年限、折旧等。

11.1.5 本条是强制性条文，必须严格执行。系统运行与维护所涉及的管理内容、处置预案（流程）、数据等信息，事关建设（使用）单位的安全。管理内容、处置预案（流程）、数据等信息的泄露，可能导致针对保护对象的防护措施失效，进而产生不可预知的后果。因此，保密责任落实和措施保障成为必须要考虑的要求。

在《报警运营服务规范》GA 1383—2017 的 5.5 中，专门对报警运营服务单位和人员提出了保密安全要求。

11.1.6 本条是强制性条文，必须严格执行。安全防范系统运行和维护人员是否合格，是安全防范系统自身安全保障的重要基础。在《报警运营服务规范》GA 1383—2017 的 5.4 中，专门对值机员、维护员等提出了培训上岗要求。

11.2 系统运行

11.2.1 本条条文说明如下：

(1)根据工作目标、工作范围、工作要求，运行工作团队人员可分为管理人员、值机人员、现场处置人员等，负责日常具体的系统运行工作。《公安部关于保安技防服务管理有关问题的批复》(公复字〔2012〕2号)中提出："……在开展报警运营服务的企业中从事人工值守和现场处置工作的人员，应当依据《保安服务管理条例》和《公安机关实施保安服务管理条例办法》的有关规定纳入保安员管理。"这是以国家行业规范方式明确报警运营服务的人员要求和管理要求。相关行业安全防范系统运行管理可以参考。

现行行业标准《报警运营服务规范》GA 1383—2017 的第3.1.9条和第3.1.11条规定了"值机员"和"现场处置员"要求：

值机员：在报警运营服务中心负责接收、处理报警信息、视音频信息、故障信息及受理咨询、投诉的人员。

现场处置员：负责巡逻、值守以及报警现场处置的人员。

(2)日常管理制度一般包括：值班制度、值机制度、现场处置制度、例会制度、安全保密制度、内部监督制度、环境检查制度和内务卫生制度等。

值机和现场处置制度建议参考现行行业标准《报警运营服务规范》GA 1383—2017 相关要求编制。

例会制度应包括值机人员例会、相关负责人例会、管理部门例会等；

安全保密制度应该按照国家有关保密工作的法律法规和建设(使用)单位具体情况制定知密人员、知密范围、涉密文件、资料、信息等的管理与控制制度；

培训应该包括岗前培训和在岗培训，培训的内容一般包括法律法规常识、职业道德、纪律作风、安全保密知识、工作规范、管理制度、系统与设备的基本知识、前端设备的分布情况、基本操作技能、常见案(事)件的发案规律和特点、案(事)件处置预案以及经验交流、系统操作技巧、处置方法的运用和演练、案(事)件处置预案的模拟训练、信息的分析研判等。

在现行行业标准《基层公安机关社会治安视频监控中心(室)工作规范》GA/T 1072—2013 专门对值机人员和监控中心提出了培训和考核要求,可结合实际情况参考实施。

(3)在系统运行中会涉及诸多需要协调管理的工作,如:①与系统和设备维护团队相关的保障、报修等的协调、对接工作规则等;②事件/警情处置中可能涉及的主管部门(保卫、后勤部门等)、相关其他职能部门,主管上级部门,公安机关等相关责任人、联系方法,相关的协调、对接工作规则等。

11.2.2 系统运行环境是系统运行的基本保障,涉及各子系统配置和参数。如入侵和紧急报警系统中的布防时间和撤防时间。布撤防时间的确定,就意味着在这个时间段内对设防区域启动入侵探测报警,这个时间段的确认是与安全防范管理要求相一致的。如银行营业场所的营业柜台紧急报警是24h布防,不允许撤防的,其他场所则可能是在下班后实施布防,上班后撤防。

11.2.3 本条条文说明如下:

2 运行作业和要求的确认,是系统运行中针对事件/警情处置的基本保障。系统运行中首先需要明确管理边界,如:哪些事件和警情是需要管理的? 如何管理?

在实际的系统运行中,应该按照安全防范管理的要求,梳理需要管理的内容,并对事件/警情进行分类分级,设置报警、监控和出入口控制等系统的联动规则,以及相应处置流程和预案等。

现行行业标准《基层公安机关社会治安视频监控中心(室)工作规范》GA 1072—2013 中的常见监控作业给出了可参考的方法和要求。

现行行业标准《报警运营服务规范》GA 1383—2017 中,针对报警接收与处置给出了可参考的报警接收和处置流程图。

处置预案的编制应遵循安全防范三要素 $T_{探测}+T_{反应}\leqslant T_{延迟}$ 的原则进行，如综合考虑保护对象现场探测报警能力、保护对象现场实体防护系统的阻滞时间以及处置人员到达现场的时间等因素。要特别注重突发事件/紧急报警的处置预案编制。

在实际的运行业务梳理时，较为常见的方法是进行报警类事件、故障类事件和异常类事件的划分。报警类事件按警情处置预案和流程进行处置、故障类事件按维护流程进行处置、异常类事件为重点关注需要进行复核后进行处置。

11.2.4 本条对作业指导文件应包括的内容做了规定。

4 日志至少应包括日期、天气、常规操作情况、时间或特殊操作情况、系统和设备的运行状况、接办事务处理情况、交办事务处理要求等按照工作规则、处置预案等完成执行值机工作任务。

5 交接班一般包括：各防范区域基本情况、系统和设备运转情况、事件/警情处理情况、接办或续办事务等内容。

11.2.5 根据作业指导文件进行值机操作，可以保证事件/警情处置的合规性。在实际的值机操作中，要能达到相应要求还有许多细节要求，如对值机人员的技能要求等。

1 表10为参考的系统运行记录表。

表10 ×××系统运行记录表

<table>
<tr><td colspan="3">系统范围</td><td colspan="5"></td></tr>
<tr><td colspan="3">运行工作团队（公司）名称</td><td colspan="3"></td><td colspan="2">记录日期：</td></tr>
<tr><td colspan="8">记录内容</td></tr>
<tr><td>序号</td><td>时间</td><td>事件</td><td>系统</td><td>事件描述</td><td>位置</td><td>处置情况</td><td>备注</td></tr>
<tr><td></td><td></td><td></td><td></td><td></td><td></td><td></td><td></td></tr>
<tr><td></td><td></td><td></td><td></td><td></td><td></td><td></td><td></td></tr>
<tr><td></td><td></td><td></td><td></td><td></td><td></td><td></td><td></td></tr>
<tr><td></td><td></td><td></td><td></td><td></td><td></td><td></td><td></td></tr>
<tr><td></td><td></td><td></td><td></td><td></td><td></td><td></td><td></td></tr>
<tr><td></td><td></td><td></td><td></td><td></td><td></td><td></td><td></td></tr>
<tr><td></td><td></td><td></td><td></td><td></td><td></td><td></td><td></td></tr>
</table>

续表 10

<table>
<tr><td colspan="4">系统运行综述

</td></tr>
<tr><td>值班人</td><td>签字：

年　月　日</td><td>运行维护负责人</td><td>签字：

年　月　日</td></tr>
</table>

11.2.6 系统运行环境中系统配置和参数，运行作业中的报警和接收、监视和录像、授权和控制等的正确性，是安全防范系统运行工作的基本保障。

以入侵和紧急报警系统为例，其系统配置和参数中的探测点位、布撤防时间、报警信息记录与存储、与视频和（或）出入口控制系统联动规则、操作权限、运行日志和操作日志存储时间、处置预案等的任何一个参数、配置以及流程的变化都可造成安全防范管理的失效。

系统运行环境、运行作业和内容会由于人为或非人为因素以及管理要求的变更等产生变化，因此需要对其进行变化情况进行符合性检查，以确定其变更的规范性。

符合性检查既包括对运行环境、运行作业和内容本身的检查，也包括相关内容变更的合规性检查。

11.2.7 本条为强制性条文，必须严格执行。紧急报警发生一般预示着重大警情。为确保重大警情能准确及时处置，在现行行业标准《报警运营服务规范》GA 1383—2017 的第 5.2.3 条中专门对接入公安机关的紧急报警信息，提出了由监控中心人工向公安机关接警中心进行确认的要求。

11.3 系统维护

11.3.2 系统维护工作团队应根据系统的规模、工作内容和维护要求组建。系统维护工作团队组建的目的是确保维护质量。

维护工作团队是指承担安全防范系统维护职能的工作/项目管理团队，一般应该由维护服务单位、系统建设(使用)单位的相关人员组成。相关人员包括维护服务单位的管理人员、技术管理人员、操作人员、设备供应商及工程承包商等。

维护工作程序所涉及的相关单位、人员应相互配合，共同完成系统维护工作。相关人员的培训，应包括相关的法律知识、安全生产规程和专业技能。

图 10～图 13 分别描述了相应的参考维护工作程序。

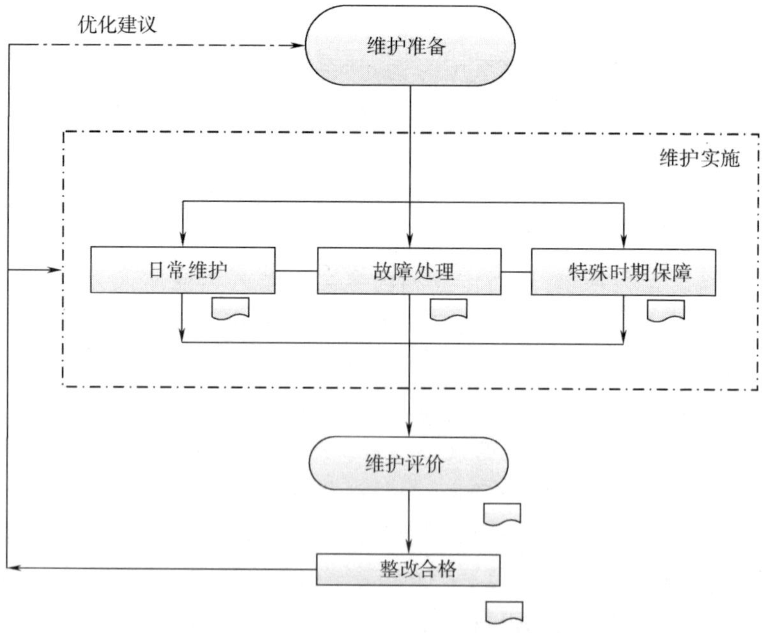

图 10　安全防范系统维护工作程序

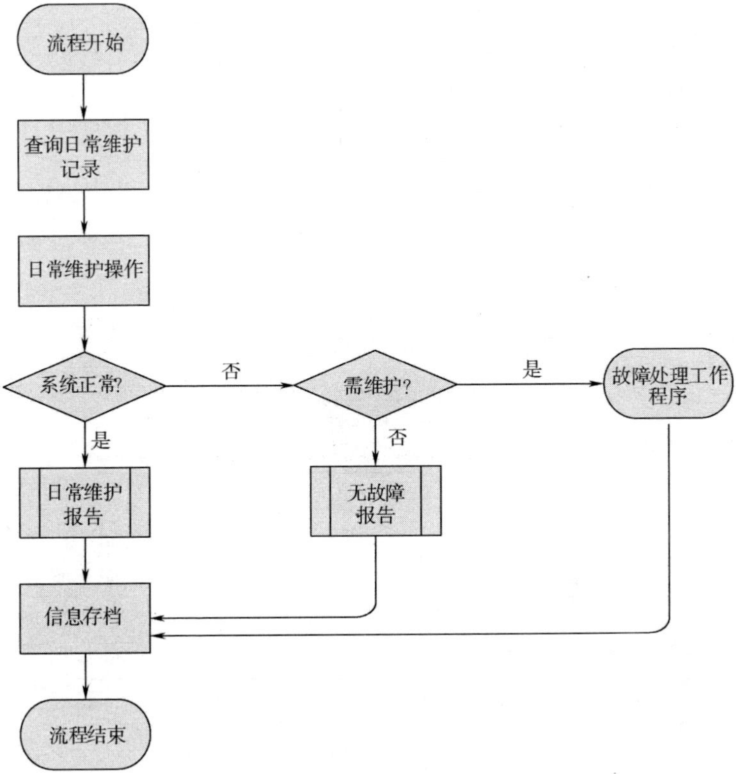

图 11　安全防范系统日常维护工作程序

注:故障处理申请可通过人工进行,也可通过维护专用工具自动实施。

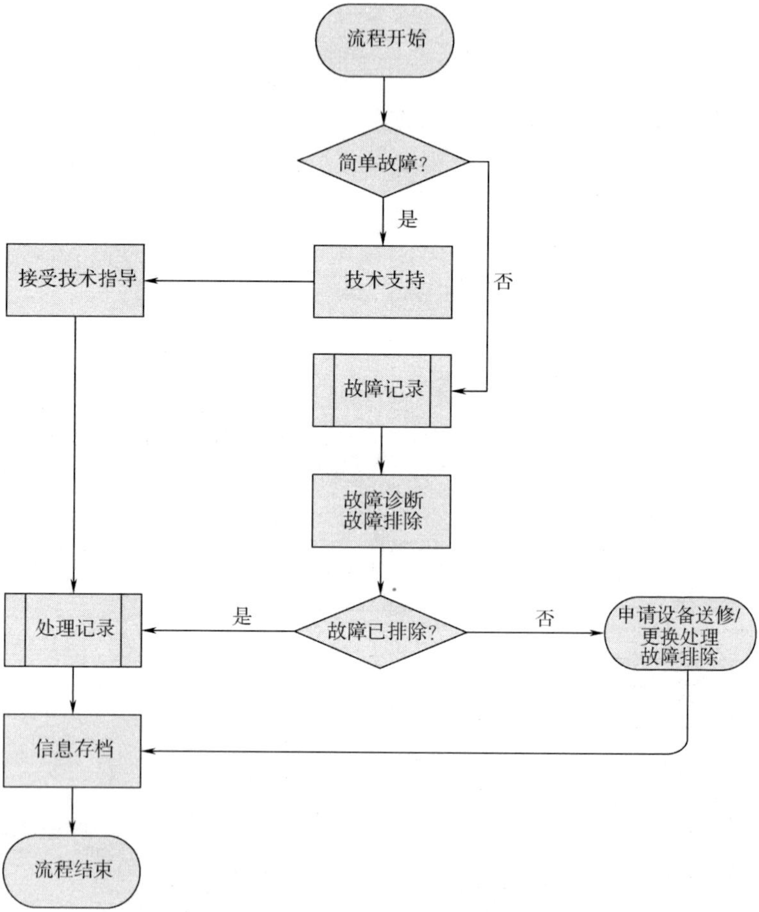

图 12　安全防范系统故障处理工作程序

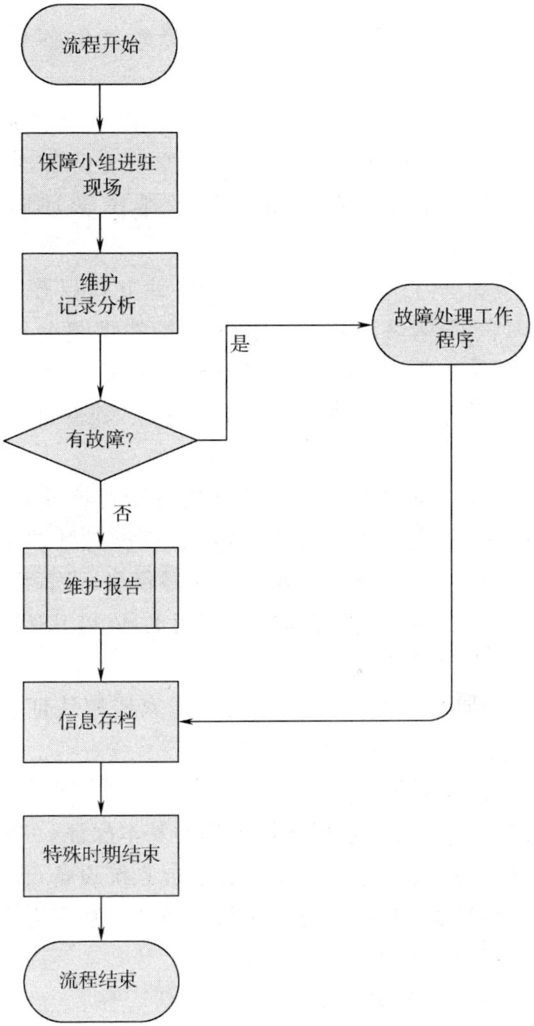

图 13　安全防范系统特殊时期保障工作程序

维护评价指标、考核方法和定期评价维护工作，是确保维护工作质量的基本保证。缺乏评价指标、考核方法将严重影响系统维护工作质量，进而不能保障系统发挥应有的防护效能。

评价指标一般至少包括系统维护工作团队维护工作质量的评价，考核方法一般至少包括针对所维护系统设备的现场抽检、统计系统设备的在线率和完好率以及维护管理制度的执行情况。

11.3.3 系统维护工作中应考虑采取多种方式保障系统正常运行，如维护时间段错峰选择、采用备品备件搭建临时的部件和(或)装置、管理主机、终端主机、服务器主机等，对已记录的数据采取保护性和修复措施、做好相应应急预案、维护工作安排及时通告等。

11.3.4 由于安全防范系统安装使用的地域可能非常广阔，系统数字化、智能化、网络化程度也越来越高，所以对维护本身的技术要求也随之提高，因此，应配置相关的仪器仪表、设备设施，以及系统运行状态监测、维护过程管理等的专用工具，提升运行维护工作的自动化和网络化程度。

涉及测量精度的，相关工具应具有国家授权认证机构的检测报告。

11.3.5 本条条文说明如下。

1 系统勘查是做好系统维护工作的基本保证，一般在系统维护实施前进行。系统勘查是为了全面掌握系统设备、设施的数量、安装位置、功能性能、工作状态和故障情况等，为系统维护方案编制、系统维护实施等打下坚实基础。

表11为参考的维护勘察表。

表 11　维护勘察表—×××系统

<table>
<tr><td colspan="4">维护团队(公司)名称</td><td colspan="5"></td></tr>
<tr><td colspan="9">勘察内容</td></tr>
<tr><td colspan="4">勘察对象</td><td rowspan="2">功能项</td><td colspan="3">工作状态</td><td rowspan="2">备注</td></tr>
<tr><td>编号</td><td>设备/设施</td><td>型号/序列号</td><td>位置</td><td>正常</td><td>故障</td><td>故障现象</td></tr>
<tr><td></td><td></td><td></td><td></td><td></td><td></td><td></td><td></td><td></td></tr>
<tr><td></td><td></td><td></td><td></td><td></td><td></td><td></td><td></td><td></td></tr>
<tr><td></td><td></td><td></td><td></td><td></td><td></td><td></td><td></td><td></td></tr>
<tr><td></td><td></td><td></td><td></td><td></td><td></td><td></td><td></td><td></td></tr>
<tr><td></td><td></td><td></td><td></td><td></td><td></td><td></td><td></td><td></td></tr>
<tr><td></td><td></td><td></td><td></td><td></td><td></td><td></td><td></td><td></td></tr>
<tr><td></td><td></td><td></td><td></td><td></td><td></td><td></td><td></td><td></td></tr>
<tr><td></td><td></td><td></td><td></td><td></td><td></td><td></td><td></td><td></td></tr>
<tr><td></td><td></td><td></td><td></td><td></td><td></td><td></td><td></td><td></td></tr>
<tr><td colspan="9">×××系统勘察综述</td></tr>
<tr><td colspan="9"></td></tr>
<tr><td colspan="2">勘察人</td><td colspan="2">签字：
年　月　日</td><td colspan="3">运行维护负责人</td><td colspan="2">签字：
年　月　日</td></tr>
</table>

2　表 12 为参考的系统维护与要求表：

表 12　×××系统维护与要求表

维护团队(公司)名称：

<table>
<tr><td rowspan="2">序号</td><td colspan="4">维护内容与要求</td><td rowspan="2">维护说明</td></tr>
<tr><td>维护项目</td><td>维护对象</td><td>维护内容</td><td>维护要求</td></tr>
<tr><td rowspan="3">1</td><td rowspan="3">系统设备设施</td><td></td><td></td><td></td><td></td></tr>
<tr><td></td><td></td><td></td><td></td></tr>
<tr><td></td><td></td><td></td><td></td></tr>
</table>

续表 12

<table>
<tr><td rowspan="2">序号</td><td colspan="4">维护内容与要求</td><td rowspan="2">维护说明</td></tr>
<tr><td>维护项目</td><td>维护对象</td><td>维护内容</td><td>维护要求</td></tr>
<tr><td rowspan="3">2</td><td rowspan="3">防护效能</td><td></td><td></td><td></td><td></td></tr>
<tr><td></td><td></td><td></td><td></td></tr>
<tr><td></td><td></td><td></td><td></td></tr>
<tr><td rowspan="3">4</td><td rowspan="3">系统评价、优化</td><td></td><td></td><td></td><td></td></tr>
<tr><td></td><td></td><td></td><td></td></tr>
<tr><td></td><td></td><td></td><td></td></tr>
</table>

11.3.6 本条对日常维护做了规定。

5 系统维护记录可参考表13。

表 13 系统维护记录表

<table>
<tr><td colspan="2">设施/系统名称</td><td colspan="2"></td><td>日期</td><td></td></tr>
<tr><td colspan="2">位置/范围</td><td colspan="2"></td><td>类别</td><td></td></tr>
<tr><td colspan="2">运行维护团队(公司)名称</td><td colspan="4"></td></tr>
<tr><td>维护内容</td><td colspan="5"></td></tr>
<tr><td>维护情况和结果</td><td colspan="5"></td></tr>
<tr><td>问题/建议</td><td colspan="5"></td></tr>
<tr><td colspan="2">维护人</td><td>签字：
年 月 日</td><td colspan="2">运行负责人</td><td>签字：
年 月 日</td></tr>
</table>

7　日常维护报告一般包括系统设备设施运行状态情况（如设备在线率、设备隐患、系统服务器性能资源等情况）、系统防护效能情况（如防区探测覆盖范围变化或缩减、监视区域变动或图像质量降低、受控区域无授权变动等）、安全防范管理业务运行情况、系统维护情况分析、客户服务质量、日常维护重点工作等。

维护报告一般应该定期编制。日常维护工作中遇突发性重大问题的还应该及时专题报告。

11.3.7　本条对故障处理做了规定。

1　系统故障处理面临的主要问题是处理好安全技术防范系统的业务连续性、业务恢复和业务重续三大问题。故障处理要遵循的原则是尽可能减少业务的中断时间、尽可能快地恢复业务和尽可能减少监控数据的损失。

2　表14给出了一个参考的故障分级和处理要求表。应根据安全防范系统规模和分布的实际情况，提出符合安全防范管理要求的具体响应时间和解决时间。

表14　故障分级和处理要求表

等级	故障描述	响应时间	解决时间
一级	系统崩溃导致大范围系统和设备停止运行、数据丢失等故障		
二级	部分系统和设备失效、系统性能下降，但能正常运行		
三级	系统和设备报错或警告，但系统和设备能继续运行且性能不受影响		

3　故障维修及反馈情况记录可参考表15。

表 15　故障维修反馈表

设备/设施/系统名称		型号/序列号	
位置		子分部/系统名称	
维护团队(公司)名称			
故障现象描述			
故障原因分析			
维修步骤			
维修结果及反馈意见			
客户评价			
维修人	签字： 年　月　日	运行负责人	签字： 年　月　日

11.3.8　特殊时期一般可以是国家重要节假日、政府或相关职能部门组织的重大活动期间，以及国家应急管理部门预报发布的涉及重大自然灾害、生产、食品卫生、社会治安等应急管理时期。

11.3.9　涉及可能优化维护规划的，建设(使用)单位应根据实际情况进行规划调整。涉及可能优化系统维护工作内容和流程的，维护工作团队应根据实际情况进行维护方案调整。

一般的，通过系统维护可以积累大量的系统设备的运转状态数据，因此，针对系统设备的优化建议，应考虑在系统维护数据基础上进行。

此外，系统优化建议应基于原系统。由于事关系统防护效能、系统安全等，制定的优化整改方案，要征得建设(使用)单位的许可方能实施，并保证能够实现优化目的。

11.3.10 维护工作效果主要涉及系统防护效能的评价。建议根据安全防范系统使用年限、使用环境、运行状况等，委托第三方检验机构进行客观、规范的评价。

12 咨询服务

12.1 一般规定

12.1.2 建设单位对咨询服务的具体需求包括:咨询服务的内容、周期、方式及成果等。咨询团队需明确咨询负责人,咨询负责人需具有5年及以上的安全防范工程从业经验。

12.2 咨询服务内容

12.2.1 本条对立项阶段的咨询服务内容做了规定。

2 风险评估的详细内容和要求,参照本标准第4.1.2条及其条文说明。

3 项目建议书和可行性研究报告通常是作为安全防范工程建设的投资决策依据。在编制项目建议书和可行性研究报告前一般都需要进行现场勘察、风险评估,咨询单位可协助建设单位进行现场勘察、风险评估,并在编制项目建议书和可行性研究报告时给予建设单位咨询建议。

12.2.2 本条对设计阶段的咨询服务内容做了规定。

3 本条内容对应本标准第3～6章和现行行业标准《安全防范工程技术文件编制深度要求》GA/T 1185—2014以及现行行业标准《银行营业场所安全防范要求》GA 38等不同治安保卫重点单位的安全防范标准。

4 依据现行国家标准《建设工程工程量清单计价规范》GB 50500—2013的要求,检查工程量清单的编制规范性、完整性。

12.2.7 本条对系统运行与维护阶段的咨询服务内容做了规定。

1 安全防范系统运行一段时期后,安全防范工程建设(使用)单位根据安全防范管理的需要,可以委托咨询服务机构重新进行风险评估,对需要防范的风险重新进行确认。风险评估的具体程序和内容详见第 4.1.2 条文说明。

2 安全防范系统效能评估的目的是为了评价系统的有效性,为系统的持续运行、维护、升级、改造或重建提供依据。系统效能评估的具体程序和内容详见第 2.0.39 条文说明。